하루 10분 서술형/문장제 학습지

수학 독해

F4 입체도형
초6

사고가 자라는 수학
씨투엠

수학독해 : 수학을 스스로 읽고 해결하다

객관식이나 간단한 단답형 문제는 자신 있는데 긴 문장이나 풀이 과정을 쓰라는 문제는 어려워하는 아이들이 있어요. 빠르고 정확하게 연산하고 교과 응용문제까지도 곧잘 풀어내지만, 문제 속 상황이 약간만 복잡해지면 문제를 풀려고도 하지 않는 아이들도 많아요. 이러한 아이들에게 부족한 것은 연산 능력이나 문제 해결력보다는 독해력과 표현력입니다. 특히 수학적 텍스트를 이해하고 표현하는 능력, 즉 수학 독해력이지요.

요즘 아이들의 독해력이 약해진 가장 큰 이유는 과거에 비해 이야기를 만나는 방식이 다양해졌기 때문이에요. 예전에는 대부분 말이나 글로써만 이야기를 접했어요. 텍스트 위주로 여러 가지 사건을 간접 체험하고, 머리 속으로 상황을 그려 내는 훈련이 자연스럽게 이루어졌지요. 반면 요즘 아이들은 글보다도 TV나 스마트폰 등 영상매체에 훨씬 빨리, 자주 노출되기에 글을 통해 상상을 할 필요가 점점 없어지게 되었습니다.

그렇다고 아이들에게 어렸을 때부터 영화나 애니메이션을 못 보게 하고 책만 읽게 하는 것은 바람직하지 않고, 가능하지도 않아요. 시각 매체는 그 자체로 많은 장점이 있기 때문에 지금의 아이들은 예전 세대에 비해 이미지에 대한 이해력과 적용력이 매우 뛰어나답니다. 문제는 아직까지 모든 학습과 평가 방식이 여전히 텍스트 위주이기 때문에 지금도 아이들에게 독해력이 중요하다는 점이에요. 그래서 저희는 영상 매체에는 익숙하지만 말이나 글에는 약한 아이들을 위한 새로운 수학 독해력 향상 프로그램인 씨투엠 수학독해를 기획하게 되었어요.

씨투엠 수학독해는 기존 문장제/서술형 교재들보다 더욱 쉽고 간단한 학습법을 보여주려 해요. 문제에 있는 문장과 표현 하나하나마다 따로 접근하여 아이들이 어려워하는 포인트를 찾고, 각 포인트마다 직관적인 활동을 통해 독해력과 표현력을 차근차근 끌어올리려고 합니다. 또한 문제 이해와 풀이 서술 과정을 단계별로 세세하게 나누어 문장제, 서술형 문제를 부담 없이 체계적으로 연습할 수 있어요. 새로운 문장제 학습법인 씨투엠 수학독해가 문장제 문제에 특히 어려움을 겪고 있거나 앞으로 서술형 문제를 좀 더 잘 대비하고 싶은 아이들에게 큰 도움이 될 것이라 자신합니다.

씨투엠 수학독해의 구성과 특징

- 매일 부담없이 2쪽씩, 하루 10분 문장제 학습
- 매주 5일간 단계별 활동, 6일차는 중요 문장제 확인학습
- 5회분의 진단평가로 테스트 및 복습

주차별 구성

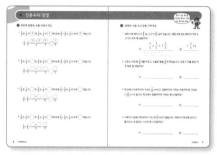

일일학습
꼬마 수학자들의
간단한 팁과 함께
매일 새롭게 만나는
단계별 문장제 활동

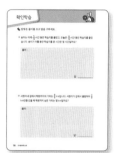

확인학습
중요 문장제 활동을
다시 한번 확인하며
주차 학습 마무리

1주차	1일	2일	3일	4일	5일	확인학습
	6쪽 ~ 7쪽	8쪽 ~ 9쪽	10쪽 ~ 11쪽	12쪽 ~ 13쪽	14쪽 ~ 15쪽	16쪽 ~ 18쪽

2주차	1일	2일	3일	4일	5일	확인학습
	20쪽 ~ 21쪽	22쪽 ~ 23쪽	24쪽 ~ 25쪽	26쪽 ~ 27쪽	28쪽 ~ 29쪽	30쪽 ~ 32쪽

3주차	1일	2일	3일	4일	5일	확인학습
	34쪽 ~ 35쪽	36쪽 ~ 37쪽	38쪽 ~ 39쪽	40쪽 ~ 41쪽	42쪽 ~ 43쪽	44쪽 ~ 46쪽

4주차	1일	2일	3일	4일	5일	확인학습
	48쪽 ~ 49쪽	50쪽 ~ 51쪽	52쪽 ~ 53쪽	54쪽 ~ 55쪽	56쪽 ~ 57쪽	58쪽 ~ 60쪽

진단평가 구성

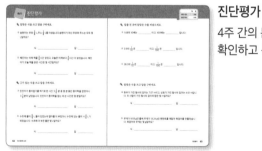

진단평가
4주 간의 문장제 학습에서 부족한 부분을
확인하고 복습하기 위한 자가 진단 테스트

진단평가	1회	2회	3회	4회	5회
	62쪽 ~ 63쪽	64쪽 ~ 65쪽	66쪽 ~ 67쪽	68쪽 ~ 69쪽	70쪽 ~ 71쪽

이 책의 차례

✿ 입체도형을 보고 물음에 답하세요.

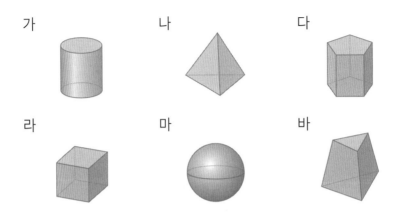

① 각기둥을 모두 찾아 기호를 써 보세요.

_____

② **가**가 각기둥이 아닌 이유를 설명하세요.

이유 :

③ **다**에서 서로 평행한 두 면을 찾아 색칠하세요.

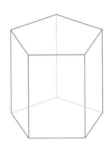

모든 면이 다각형이고 서로 평행한 두 면이 합동인 입체도형을 각기둥이라고 해.

✿ 각기둥을 보고 물음에 답하세요.

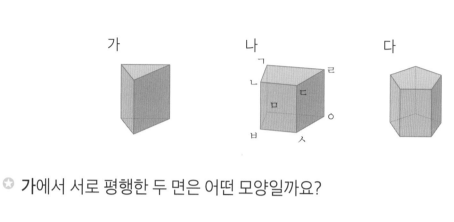

가   나   다

☆ 가에서 서로 평행한 두 면은 어떤 모양일까요?

삼각형

① 다에서 서로 평행한 두 면은 어떤 모양일까요?

_____

② 각기둥에서 두 밑면과 만나는 면은 어떤 모양일까요?

_____

③ 나에서 밑면과 옆면을 모두 찾아 써 보세요.

밑면 : _____

옆면 : _____

④ 각기둥의 이름을 각각 써 보세요.

가 : _____ , 나 : _____ , 다 : _____

물음에 답하세요.

✪ 각기둥의 높이는 몇 cm일까요?

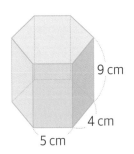

9 cm

---

9 cm

---

① 각기둥의 높이는 몇 cm일까요?

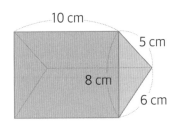

---

② 각기둥의 밑면이 정오각형일 때 모든 모서리의 길이의 합은 몇 cm일까요?

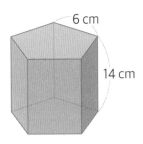

 각기둥을 보고 물음에 답하세요.

① 표를 완성하세요.

도형	한 밑면의 변의 수(개)	꼭짓점의 수(개)	면의 수(개)	모서리의 수(개)
삼각기둥				
사각기둥	4	8	6	12
오각기둥	5	10	7	15

② 규칙을 찾아 ◻ 안에 알맞은 수를 써넣으세요.

(꼭짓점의 수) = (한 밑면의 변의 수) × ◻

(면의 수) = (한 밑면의 변의 수) + ◻

(모서리의 수) = (한 밑면의 변의 수) × ◻

③ 표를 완성하세요.

도형	한 밑면의 변의 수(개)	꼭짓점의 수(개)	면의 수(개)	모서리의 수(개)
칠각기둥				
십각기둥	10	20		

🐝 물음에 답하세요.

⭐ 전개도를 접어서 삼각기둥을 만들었습니다. ◻ 안에 알맞은 수를 써넣으세요.

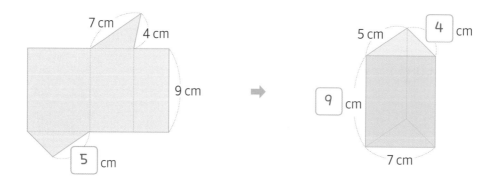

① 전개도를 접어서 사각기둥을 만들었습니다. ◻ 안에 알맞은 수를 써넣으세요.

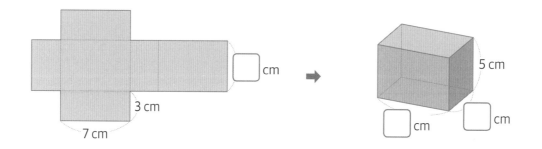

② 전개도를 접어서 오각기둥을 만들었습니다. 각기둥의 옆면이 모두 합동일 때, 모든 모서리의 길이의 합을 구하세요.

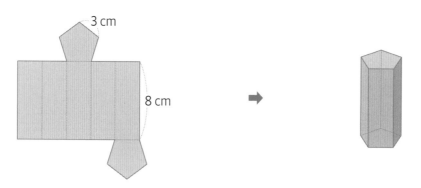

각기둥의 모서리를 잘라서 평면 위에 펼쳐 놓은 그림을 각기둥의 전개도라고 해.

🐝 각기둥의 전개도를 완성하세요.

⭐

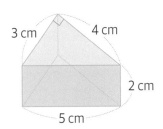

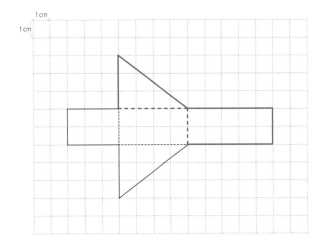

①

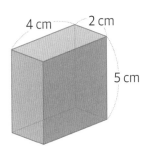

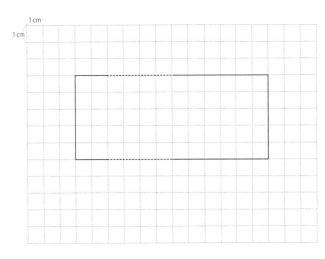

②

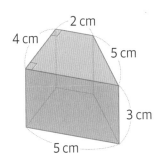

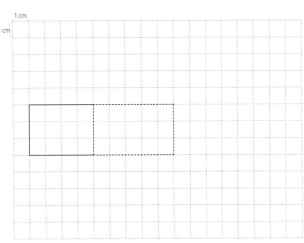

😊 입체도형을 보고 물음에 답하세요.

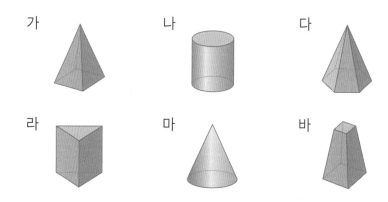

① 밑에 놓인 면이 다각형이고 옆으로 둘러싼 면이 모두 삼각형인 입체도형을 찾아 기호를 쓰세요.

_____

② 각뿔을 모두 찾아 기호를 써 보세요.

_____

③ **마**가 각뿔이 아닌 이유를 설명하세요.

이유 :

각뿔을 보고 물음에 답하세요.

가   나   다

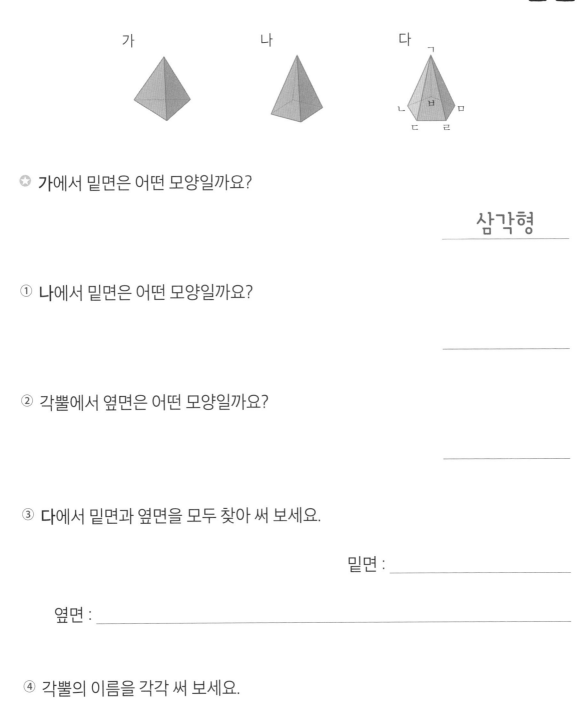

⭐ **가**에서 밑면은 어떤 모양일까요?

삼각형

① **나**에서 밑면은 어떤 모양일까요?

_____

② 각뿔에서 옆면은 어떤 모양일까요?

_____

③ **다**에서 밑면과 옆면을 모두 찾아 써 보세요.

밑면 : _____

옆면 : _____

④ 각뿔의 이름을 각각 써 보세요.

가 : _____ , 나 : _____ , 다 : _____

✿ 다음 물음에 답하세요.

✪ 각뿔의 높이는 몇 cm일까요?

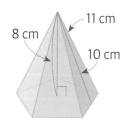

8 cm

① 각뿔의 높이는 몇 cm일까요?

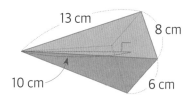

② 각뿔의 밑면은 정사각형이고 옆면이 모두 이등변삼각형입니다. 이 각뿔의 모든 모서리의 길이의 합은 몇 cm일까요?

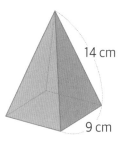

🌸 각뿔을 보고 물음에 답하세요.

① 표를 완성하세요.

도형	한 밑면의 변의 수(개)	꼭짓점의 수(개)	면의 수(개)	모서리의 수(개)
삼각뿔				
사각뿔	4	5	5	8
오각뿔	5	6	6	10

② 규칙을 찾아 □ 안에 알맞은 수를 써넣으세요.

(꼭짓점의 수) = (한 밑면의 변의 수) + ☐

(면의 수) = (한 밑면의 변의 수) + ☐

(모서리의 수) = (한 밑면의 변의 수) × ☐

③ 표를 완성하세요.

도형	한 밑면의 변의 수(개)	꼭짓점의 수(개)	면의 수(개)	모서리의 수(개)
팔각뿔				
십일각뿔	11		12	

✎ 각기둥을 보고 물음에 답하세요.

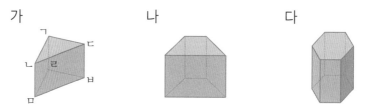

가   나   다

① **다**에서 밑면에 수직인 면은 모두 몇 개일까요?

_____

② **가**에서 밑면과 옆면을 모두 찾아 써 보세요.

밑면 : _____

옆면 : _____

③ 각기둥의 이름을 각각 써 보세요.

가 : _____, 나 : _____, 다 : _____

✎ 물음에 답하세요.

④ 각기둥의 높이는 몇 cm일까요?

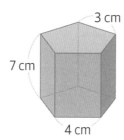

3 cm

7 cm

4 cm

_____

✎ 물음에 답하세요.

⑤ 전개도를 접어서 삼각기둥을 만들었습니다. ☐ 안에 알맞은 수를 써넣으세요.

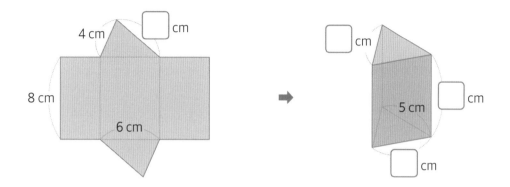

⑥ 전개도를 접어서 오각기둥을 만들었습니다. ☐ 안에 알맞은 수를 써넣으세요.

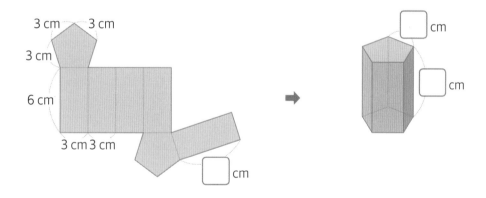

✎ 다음 입체도형이 각뿔이 아닌 이유를 설명하세요.

⑦

이유 :

✏️ 각뿔을 보고 물음에 답하세요.

가 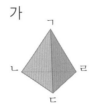　　나 　　다

⑧ **다**에서 밑면은 어떤 모양일까요?

_____

⑨ **가**에서 밑면과 옆면을 모두 찾아 써 보세요.

밑면 : _____

옆면 : _____

✏️ 표를 완성하세요.

⑩

도형	한 밑면의 변의 수(개)	꼭짓점의 수(개)	면의 수(개)	모서리의 수(개)
오각기둥		10	7	15
구각기둥	9			
오각뿔	5		6	
구각뿔		10	10	18

2주차

쌓기나무

쌓기나무의 개수

🌸 주어진 모양과 똑같이 쌓는 데 필요한 쌓기나무의 개수를 구하세요.

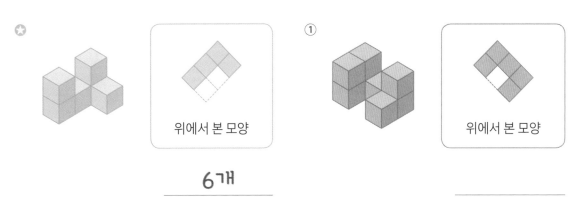

☆

위에서 본 모양

<u> 6개 </u>

1층에 4개, 2층에 2개이므로

(쌓기나무의 개수) = 4 + 2 = 6(개)

① 위에서 본 모양

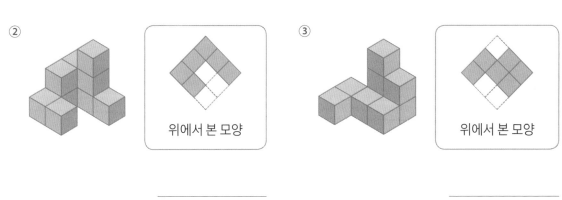

② 위에서 본 모양

③ 위에서 본 모양

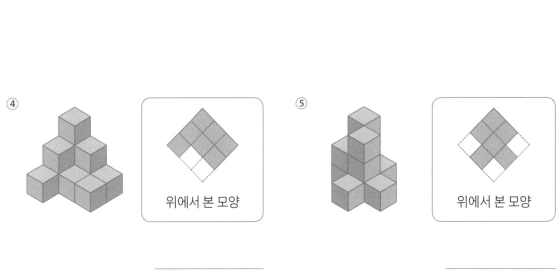

④ 위에서 본 모양

⑤ 위에서 본 모양

✿ 물음에 답하세요.

⭐ 주어진 모양과 똑같이 쌓는 데 필요한 쌓기나무의 개수를 구하세요.

위에서 본 모양

뒤에서 본 모양은 ☐ 또는 ☐ 입니다.

_____9개_____ 또는 _____10개_____

① 주어진 모양과 똑같이 쌓는 데 필요한 쌓기나무의 개수를 구하세요.

위에서 본 모양

_____ 또는 _____

② 쌓기나무를 최대한 많이 사용하여 다음과 같은 모양을 만들려고 합니다. 필요한 쌓기나무의 개수를 구하세요.

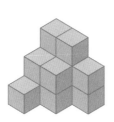

위에서 본 모양

_____

물음에 답하세요.

⭐ 쌓기나무 9개로 쌓은 모양입니다. 위, 앞, 옆에서 본 모양을 그려 보세요.

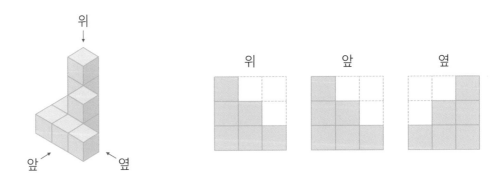

① 쌓기나무 10개로 쌓은 모양입니다. 위, 앞, 옆에서 본 모양을 그려 보세요.

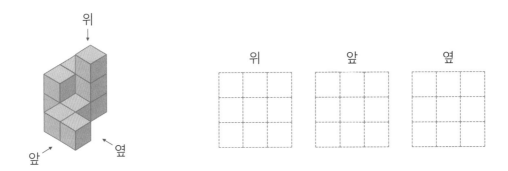

② 쌓기나무로 쌓은 모양과 이를 위에서 본 모양입니다. 앞과 옆에서 본 모양을 그려 보세요.

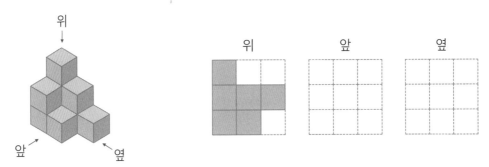

앞과 옆에서 본 모양은
각 줄별로 가장 높은
층의 모양과 같아.

🎲 물음에 답하세요.

✪ 쌓기나무 11개로 쌓은 모양을 위, 앞, 옆에서 본 모양입니다. 가능한 모양을 모두
찾아 기호를 써 보세요.

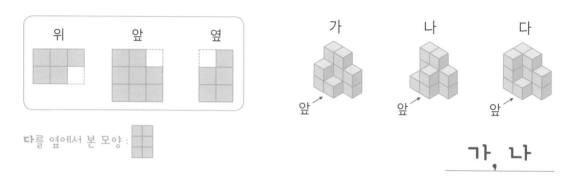

다를 옆에서 본 모양 :

가, 나

① 쌓기나무 8개로 쌓은 모양을 위, 앞, 옆에서 본 모양입니다. 가능한 모양을 찾아 기
호를 써 보세요.

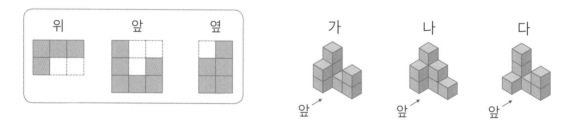

② 쌓기나무 8개로 쌓은 모양입니다. 위, 앞, 옆에서 본 모양을 그려 보세요.

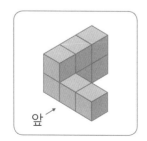

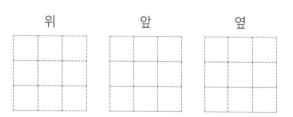

위   앞   옆

🐝 쌓기나무로 쌓은 모양을 보고 위에서 본 모양에 각 칸의 층수를 써 보세요.

✪

위

3	
2	1
	1

앞→

↑
앞

①

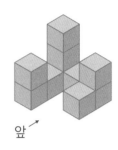

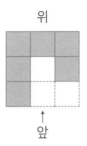

위

앞→

↑
앞

②

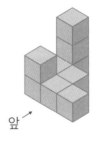

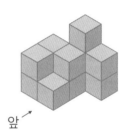

위

앞→

↑
앞

③

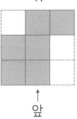

위

앞→

↑
앞

④

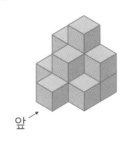

위

앞→

↑
앞

⑤

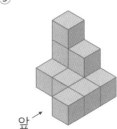

위

앞→

↑
앞

사용된 쌓기나무의 개수를 한 가지 경우로만 알 수 있으므로 쌓은 모양을 정확하게 표현할 수 있어.

🐝 쌓기나무로 쌓은 모양을 위, 앞, 옆에서 본 모양입니다. ☐ 안에 알맞은 수를 써넣으세요.

①

위　　　　앞　　　　옆

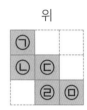

⊙과 ○에 쌓인 쌓기나무는 각각 ☐ 개, ☐ 개입니다.

◎에 쌓인 쌓기나무는 ☐ 개입니다.

ⓒ에 쌓인 쌓기나무는 ☐ 개입니다.

◎에 쌓인 쌓기나무는 ☐ 개입니다.

②

위　　　　앞　　　　옆

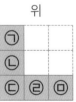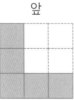

◎과 ◎에 쌓인 쌓기나무는 각각 ☐ 개, ☐ 개입니다.

⊙에 쌓인 쌓기나무는 ☐ 개입니다.

○에 쌓인 쌓기나무는 ☐ 개입니다.

ⓒ에 쌓인 쌓기나무는 ☐ 개입니다.

물음에 답하세요.

⭐ 쌓기나무로 쌓은 모양을 보고 1층과 2층 모양을 각각 그려 보세요.

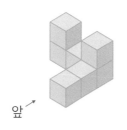

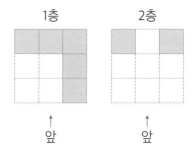

① 쌓기나무 12개로 쌓은 모양입니다. 1층, 2층, 3층 모양을 각각 그려 보세요.

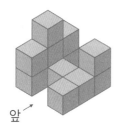

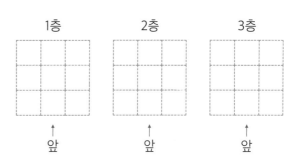

② 쌓기나무로 쌓은 모양을 보고 위에서 본 모양에 수를 썼습니다. 1층, 2층, 3층 모양을 각각 그려 보세요.

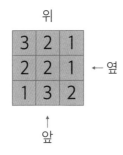

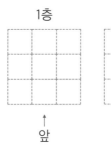

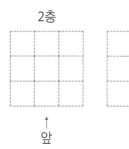

 물음에 답하세요.

✪ 쌓기나무로 쌓은 모양을 층별로 나타낸 모양입니다. 위에서 본 모양을 그려 보고, 그린 곳에 놓인 쌓기나무의 수를 써 보세요.

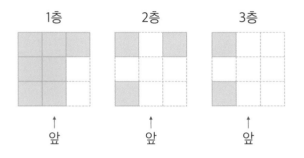

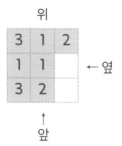

① 쌓기나무로 쌓은 모양을 층별로 나타낸 모양입니다. 위에서 본 모양을 그려 보고, 그린 곳에 놓인 쌓기나무의 수를 써 보세요.

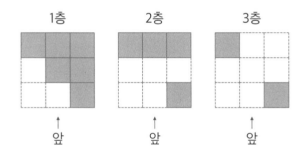

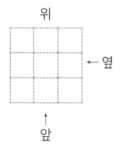

② 쌓기나무로 쌓은 모양을 층별로 나타낸 모양입니다. 앞에서 본 모양을 그려 보고 똑같은 모양으로 쌓는 데 필요한 쌓기나무의 개수를 구하세요.

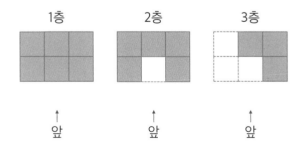

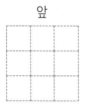

🌸 물음에 답하세요.

⭐ 모양에 쌓기나무 1개를 붙여서 만들 수 있는 모양이 <u>아닌</u> 것을 찾아 기호를 써 보세요.

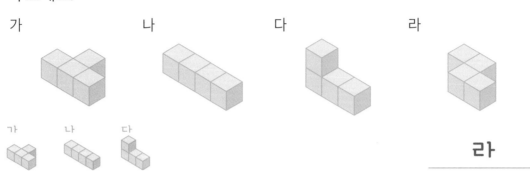

가   나   다   라

라

① 모양에 쌓기나무 1개를 붙여서 만들 수 있는 모양이 <u>아닌</u> 것을 찾아 기호를 써 보세요.

가   나   다   라

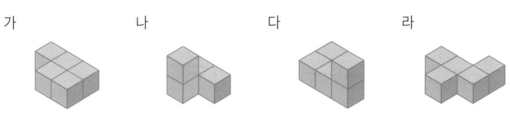

② 모양에 쌓기나무 1개를 붙여서 만들 수 있는 모양이 <u>아닌</u> 것을 모두 찾아 기호를 써 보세요.

가   나   다   라

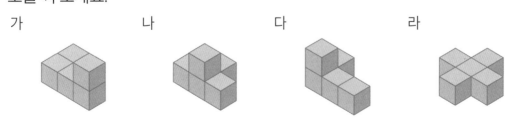

🌸 물음에 답하세요.

✪ 쌓기나무를 4개씩 붙여서 만든 두 가지 모양을 사용하여 아래의 모양 2개를 만들
었습니다. 어떻게 만들었는지 구분하여 색칠해 보세요.

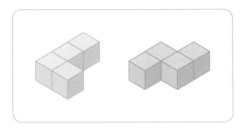

① 쌓기나무를 4개씩 붙여서 만든 두 가지 모양을 사용하여 아래의 모양 2개를 만들
었습니다. 어떻게 만들었는지 구분하여 색칠해 보세요.

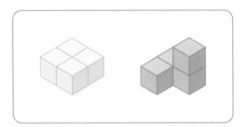

② **가, 나, 다** 모양 중에서 두 가지 모양을 사용하여 새로운 모양 2개를 만들었습니다.
사용한 두 가지 모양을 찾아 기호로 써 보세요.

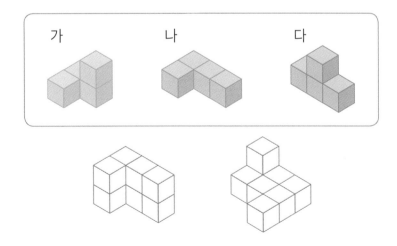

✎ 주어진 모양과 똑같이 쌓는 데 필요한 쌓기나무의 개수를 구하세요.

①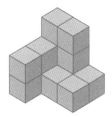

위에서 본 모양

_____

②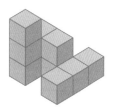

위에서 본 모양

_____

③

위에서 본 모양

_____ 또는 _____

✎ 물음에 답하세요.

④ 쌓기나무 10개로 쌓은 모양입니다. 위, 앞, 옆에서 본 모양을 그려 보세요.

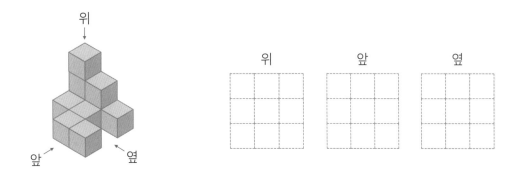

⑤ 쌓기나무로 쌓은 모양과 이를 위에서 본 모양입니다. 앞과 옆에서 본 모양을 그려 보세요.

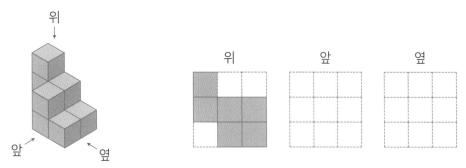

⑥ 쌓기나무 9개로 쌓은 모양을 위, 앞, 옆에서 본 모양입니다. 가능한 모양을 찾아 기호를 써 보세요.

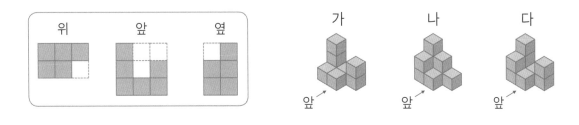

✏️ 물음에 답하세요.

⑦ 쌓기나무 12개로 쌓은 모양입니다. 1층, 2층, 3층 모양을 각각 그려 보세요.

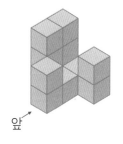

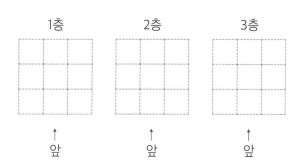

⑧ 쌓기나무로 쌓은 모양을 층별로 나타낸 모양입니다. 위에서 본 모양을 그려 보고,
그린 곳에 놓인 쌓기나무의 수를 써 보세요.

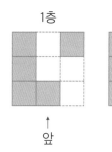

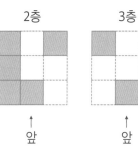

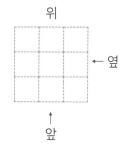

⑨ 모양에 쌓기나무 1개를 붙여서 만들 수 있는 모양이 <u>아닌</u> 것을 찾아 기호를 써
보세요.

가　　　　　　나　　　　　　다　　　　　　라

3주차

원기둥

✿ 원기둥을 모두 찾아 기호를 써 보세요.

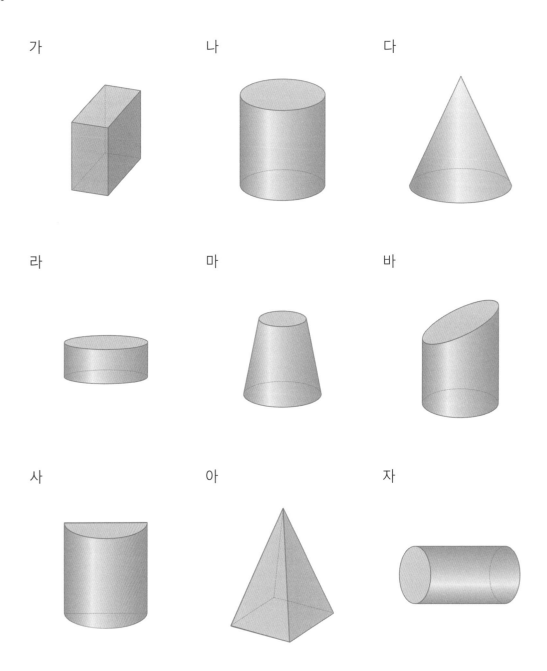

가   나   다

라   마   바

사   아   자

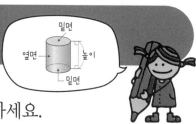

✿ 원기둥에 대한 설명이 맞으면 ◯표, 틀리면 ✕표 하세요.

⭐ 옆면은 2개입니다.

원기둥의 옆면은 1개입니다.

✕

① 두 밑면의 모양은 합동인 원입니다.

② 밑면인 두 원은 서로 수직입니다.

③ 옆면은 두 밑면과 만나는 면입니다.

④ 옆면은 옆을 둘러싼 굽은 면입니다.

⑤ 꼭짓점이 있습니다.

⑥ 두 밑면에 수직인 선분의 길이를 높이라고 합니다.

물음에 답하세요.

✪ 한 변을 기준으로 직사각형 모양의 종이를 돌려 만든 입체도형의 높이는 몇 cm일까요?

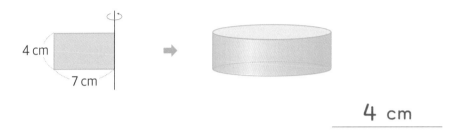

4 cm

① 원기둥의 높이는 몇 cm일까요?

_____

② 한 변을 기준으로 직사각형 모양의 종이를 돌려 만든 입체도형의 밑면의 지름과 높이는 몇 cm일까요?

밑면의 지름 : _____ , 높이 : _____

직사각형 모양의 종이를 한 변을 기준으로 돌리면 원기둥이 돼.

원기둥과 각기둥의 공통점과 차이점을 설명한 것입니다.

맞으면 ○표, 틀리면 ✕표 하세요.

 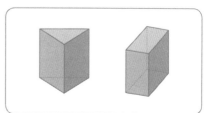

⭐ 원기둥과 각기둥 모두 모서리가 있습니다.

원기둥은 모서리가 없습니다.

① 원기둥과 각기둥 모두 밑면이 합동인 다각형입니다.

_____

② 원기둥의 옆면의 모양은 굽은 면이고, 각기둥의 옆면의 모양은 직사각형입니다.

_____

③ 원기둥은 밑면이 1개이고, 각기둥은 밑면이 2개입니다.

_____

🐝 원기둥의 전개도를 모두 찾아 기호를 써 보세요.

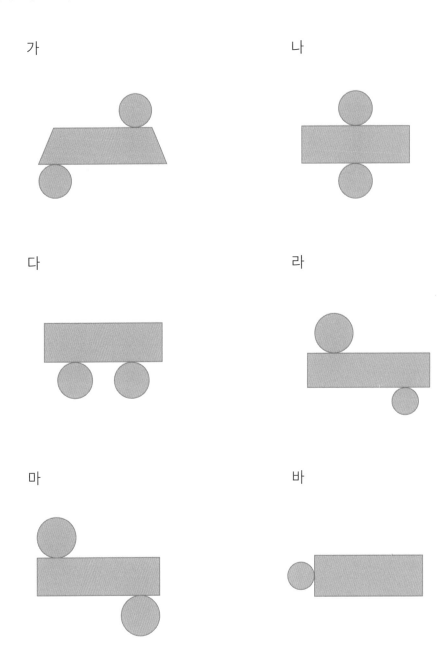

가

나

다

라

마

바

원기둥을 잘라서 펼쳐 놓은 그림을 원기둥의 전개도라고 해.

🐝 원기둥의 전개도를 보고 물음에 답하세요.

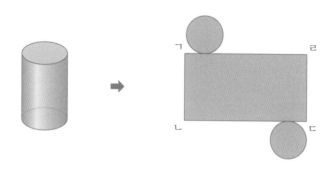

☆ 전개도에서 밑면은 어떤 모양일까요?

원

① 전개도에서 옆면은 어떤 모양일까요?

② 선분 ㄱㄴ의 길이는 원기둥의 무엇과 길이가 같을까요?

③ 전개도에서 밑면의 둘레와 길이가 같은 선분을 모두 찾아 쓰세요.

🪀 원기둥과 원기둥의 전개도를 보고 ⬜ 안에 알맞은 수를 써넣으세요. (원주율: 3.1)

⭐

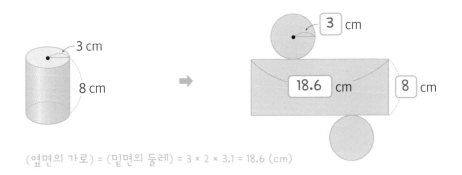

3 cm
8 cm

3 cm
18.6 cm
8 cm

(옆면의 가로) = (밑면의 둘레) = 3 × 2 × 3.1 = 18.6 (cm)

①

4 cm
⬜ cm

⬜ cm
⬜ cm
14 cm

②

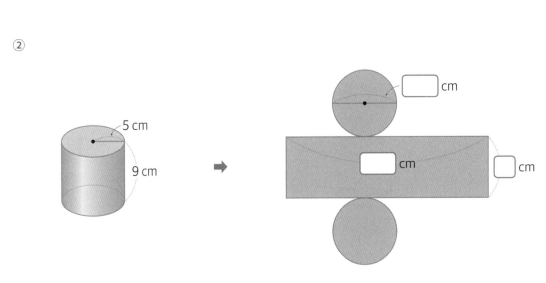

5 cm
9 cm

⬜ cm
⬜ cm
⬜ cm

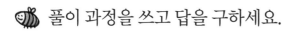

원기둥의 전개도에서
(옆면의 가로)
=(밑면의 둘레)

🐝 풀이 과정을 쓰고 답을 구하세요.

✪ 한 밑면의 둘레가 ⑮cm이고 높이가 ④cm인 원기둥의 옆면의 넓이를 구하세요.

풀이 : (옆면의 넓이)=(밑면의 둘레)×(높이)
　　　　　　　　　　　=15×4=60 (cm²)

답 : __60 cm²__

① 한 밑면의 둘레가 18 cm이고 높이가 7 cm인 원기둥의 옆면의 넓이를 구하세요.

풀이 :

답 : _____

② 밑면의 지름이 7 cm, 높이가 10 cm인 원기둥의 옆면의 넓이를 구하세요. (원주율: 3.14)

풀이 :

답 : _____

✿ 풀이 과정을 쓰고 답을 구하세요.

☆ 옆면의 넓이가 270 cm²인 원기둥의 높이는 몇 cm일까요? (원주율: 3)

9 cm

풀이 : (밑면의 둘레)=9×3=27 (cm)
(원기둥의 높이)=(옆면의 넓이)÷(밑면의 둘레)
=270÷27=10 (cm)

답 : ___10 cm___

① 원기둥의 옆면의 넓이가 558 cm²일 때, 원기둥의 높이는 몇 cm일까요? (원주율: 3.1)

15 cm

풀이 :

답 : _____

② 원기둥의 옆면의 넓이는 252 cm²입니다. 원기둥의 높이는 몇 cm일까요? (원주율: 3)

7 cm

풀이 :

답 : _____

(원기둥의 높이)
=(옆면의 넓이)÷(밑면의 둘레)

✿ 풀이 과정을 쓰고 답을 구하세요.

⭐ 원기둥의 옆면의 넓이가 124 cm²일 때 밑면의 반지름을 구하세요. (원주율: 3.1)

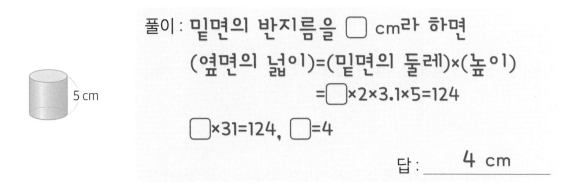

5 cm

풀이 : 밑면의 반지름을 ⬜ cm라 하면

(옆면의 넓이)=(밑면의 둘레)×(높이)

=⬜×2×3.1×5=124

⬜×31=124, ⬜=4

답 : ___4 cm___

① 원기둥의 옆면의 넓이가 198 cm²일 때 밑면의 반지름을 구하세요. (원주율: 3)

11 cm

풀이 :

답 : _____

② 원기둥의 옆면의 넓이가 336 cm²일 때 밑면의 넓이를 구하세요. (원주율: 3)

14 cm

풀이 :

답 : _____

✎ 설명이 맞으면 ○표, 틀리면 ✕표 하세요.

① 원기둥의 밑면은 2개입니다.

_____

② 원기둥은 꼭짓점과 모서리가 있습니다.

_____

③ 한 원기둥에서 두 밑면에 수직인 선분의 길이는 모두 같습니다.

_____

✎ 물음에 답하세요.

④ 한 변을 기준으로 직사각형 모양의 종이를 돌려 만든 입체도형의 높이는 몇 cm일까요?

_____

⑤ 원기둥의 높이는 몇 cm일까요?

_____

✏️ 원기둥의 전개도를 모두 찾아 기호를 써 보세요.

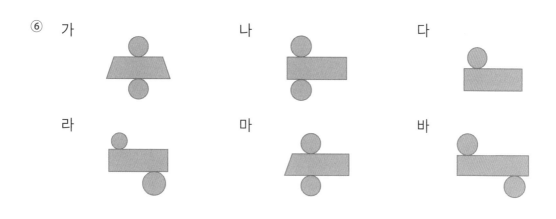

⑥ 가   나   다

라   마   바

✏️ 원기둥의 전개도를 보고 물음에 답하세요.

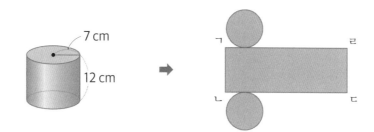

⑦ 선분 ㄱㄴ은 몇 cm일까요?

---

⑧ 선분 ㄴㄷ은 몇 cm일까요? (원주율: 3.14)

✏️ 풀이 과정을 쓰고 답을 구하세요.

⑨ 밑면인 원의 지름이 8 cm, 높이가 13 cm인 원기둥의 옆면의 넓이를 구하세요. (원주율: 3)

풀이 :

답 : _____

⑩ 원기둥의 옆면의 넓이는 125.6 cm²입니다. 원기둥의 높이는 몇 cm일까요? (원주율: 3.14)

4 cm

풀이 :

답 : _____

⑪ 원기둥의 옆면의 넓이가 74.4 cm²일 때 밑면의 지름을 구하세요. (원주율: 3.1)

6 cm

풀이 :

답 : _____

4주차

원뿔과 구

✿ 원뿔을 모두 찾아 기호를 써 보세요.

가   나   다

라   마   바

사   아   자

🌸 원뿔에 대한 설명이 맞으면 ○표, 틀리면 ✕표 하세요.

⭐ 꼭짓점은 2개입니다.

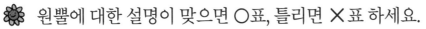

✕

① 밑면의 모양은 원입니다.

_____

② 옆면은 굽은 면입니다.

_____

③ 원뿔의 꼭짓점과 밑면인 원의 둘레의 한 점을 이은 선분을 높이라고 합니다.

_____

④ 밑면은 2개입니다.

_____

⑤ 모선의 길이는 모두 같습니다.

_____

⑥ 직사각형 모양 종이를 한 변을 기준으로 돌려서 만들 수 있습니다.

_____

물음에 답하세요.

⚙ 한 변을 기준으로 직각삼각형 모양 종이를 돌려 만든 입체도형의 밑면의 반지름과 높이를 구하세요.

밑면의 반지름 : ___4 cm___ , 높이 : ___8 cm___

① 원기둥의 모선의 길이와 높이를 구하세요.

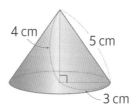

모선의 길이 : _____ , 높이 : _____

② 한 변을 기준으로 직각삼각형 모양 종이를 돌려 만든 입체도형의 밑면의 지름, 모선의 길이, 높이를 구하세요.

밑면의 지름 : _____ , 모선의 길이 : _____ , 높이 : _____

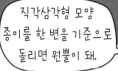

직각삼각형 모양 종이를 한 변을 기준으로 돌리면 원뿔이 돼.

🪶 원뿔과 각뿔의 공통점과 차이점을 설명한 것입니다.

맞으면 ○표, 틀리면 ✕표 하세요.

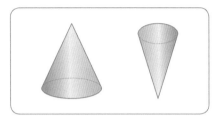
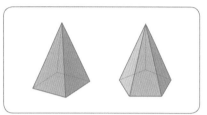

⭐ 원뿔은 밑면이 원이고, 각뿔은 밑면이 다각형입니다.

① 원뿔과 각뿔 모두 밑면이 2개이고 꼭짓점이 있습니다.

② 원뿔의 옆면의 모양은 굽은 면이고, 각뿔의 옆면의 모양은 삼각형입니다.

③ 원뿔과 각뿔의 옆면의 수는 1개입니다.

🐝 설명이 맞으면 ○표, 틀리면 ✕표 하세요.

⭐ 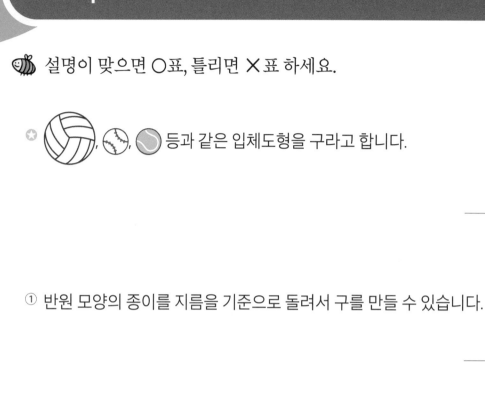 , , 등과 같은 입체도형을 구라고 합니다.

○

① 반원 모양의 종이를 지름을 기준으로 돌려서 구를 만들 수 있습니다.

_____

② 구의 중심은 여러 개입니다.

_____

③ 구는 밑면이 1개입니다.

_____

④ 구의 중심에서 구의 겉면의 한 점을 이은 선분을 구의 지름이라고 합니다.

_____

구의 중심 구의 반지름

🐝 물음에 답하세요.

✪ 지름을 기준으로 반원 모양 종이를 한 바퀴 돌려 만든 입체도형의 반지름은 몇 cm 일까요?

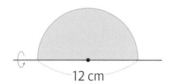

12 cm

__6__ cm

① 구의 반지름은 몇 cm일까요?

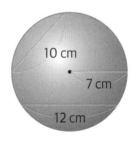

10 cm

7 cm

12 cm

_____

② 지름을 기준으로 반원 모양 종이를 한 바퀴 돌려 만든 두 입체도형의 반지름의 합은 몇 cm일까요?

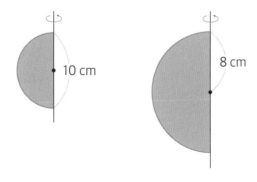

10 cm

8 cm

_____

위, 앞, 옆에서 본 모양

🐞 입체도형을 위, 앞, 옆에서 본 모양을 보기 에서 골라 그려 보세요.

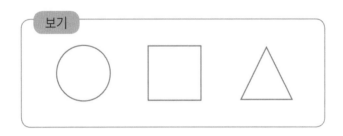

보기

입체도형	위에서 본 모양	앞에서 본 모양	옆에서 본 모양
위 ↓ 옆 ← 앞 ↗	◯		
위 ↓ 옆 ← 앞 ↗			
위 ↓ 옆 ← 앞 ↗			

원기둥, 원뿔, 구를
위에서 본 모양은
모두 원이야.

 물음에 답하세요.

✪ 원기둥을 앞에서 본 모양의 둘레는 몇 cm일까요?

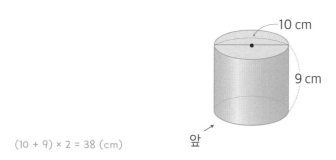

10 cm

9 cm

앞

(10 + 9) × 2 = 38 (cm)

__38__ cm

① 구를 앞에서 본 모양의 둘레는 몇 cm일까요? (원주율: 3.1)

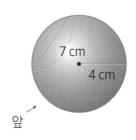

7 cm

4 cm

앞

_____

② 원뿔을 위에서 본 모양의 둘레와 앞에서 본 모양의 둘레는 몇 cm일까요? (원주율: 3.1)

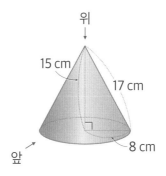

위

15 cm

17 cm

8 cm

앞

위에서 본 모양 : _____, 앞에서 본 모양 : _____

❀ 물음에 답하세요.

⭐ 원기둥과 구의 공통점을 2가지 써 보세요.

- 위에서 본 모양이 원입니다.
- 꼭짓점이 없습니다.
- 굽은 면이 있습니다.

① 원기둥과 원뿔의 공통점을 2가지 써 보세요.

② 원뿔과 구의 공통점과 차이점을 1가지씩 써 보세요.

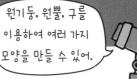
❀ 물음에 답하세요.

☆ 원기둥, 원뿔, 구 중 다음 모양에서 찾을 수 있는 입체도형의 이름을 모두 써 보세요.

원기둥, 원뿔

① 원기둥, 원뿔, 구 중 다음 모양에서 찾을 수 있는 입체도형의 이름을 모두 써 보세요.

② 다음은 여러 가지 도형으로 만든 모양입니다. 원기둥, 원뿔, 구는 각각 몇 개일까요?

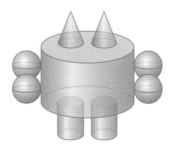

원기둥 : _____ , 원뿔 : _____ , 구 : _____

✏️ 원뿔에 대한 설명이 맞으면 ○표, 틀리면 ✕표 하세요.

① 꼭짓점은 1개입니다.

_____

② 원뿔의 꼭짓점에서 밑면에 수직인 선분의 길이를 모선이라고 합니다.

_____

✏️ 물음에 답하세요.

③ 한 변을 기준으로 직각삼각형 모양 종이를 돌려 만든 입체도형의 밑면의 지름과 높이를 구하세요.

밑면의 지름 : _____, 높이 : _____

④ 원기둥의 모선의 길이와 높이를 구하세요.

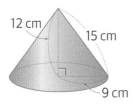

모선의 길이 : _____, 높이 : _____

✎ 구에 대한 설명이 맞으면 ○표, 틀리면 ✕표 하세요.

⑤ 반지름이 5 cm인 반원을 지름을 기준으로 돌리면 반지름이 10 cm인 구가 됩니다.

_____

⑥ 구는 어느 방향에서 보아도 항상 원으로 보입니다.

_____

✎ 물음에 답하세요.

⑦ 지름을 기준으로 반원 모양 종이를 한 바퀴 돌려 만든 입체도형의 지름은 몇 cm일까요?

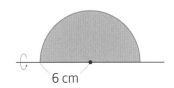

6 cm

_____

⑧ 구의 지름은 몇 cm일까요?

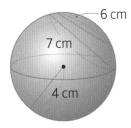

6 cm

7 cm

4 cm

_____

✎ 물음에 답하세요.

⑨ 원뿔을 위에서 본 모양의 둘레는 몇 cm일까요? (원주율: 3)

위

8 cm

10 cm

6 cm

_____

⑩ 지름을 기준으로 반원 모양의 종이를 한 바퀴 돌려 입체도형을 만들었습니다. 이 입체도형을 앞에서 본 모양의 둘레는 몇 cm일까요? (원주율: 3.1)

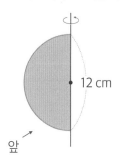

12 cm

앞

_____

⑪ 다음은 여러 가지 도형으로 만든 모양입니다. 원기둥, 원뿔, 구는 각각 몇 개일까요?

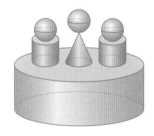

원기둥 : _____, 원뿔 : _____, 구 : _____

진단평가

진단평가에는 앞에서 학습한 4주차의 문장제 활동이 순서대로 나옵니다. 잘못 푼 문제가 있으면 몇 주차인지 확인하여 반드시 한 번 더 복습해 봅니다.

1주차	3주차
2주차	4주차

✎ 각기둥을 보고 물음에 답하세요.

가   나   다

  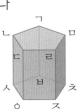

① **다**에서 밑면과 옆면을 모두 찾아 써 보세요.

밑면 : _____

옆면 : _____

② 각기둥의 이름을 각각 써 보세요.

가 : _____, 나 : _____, 다 : _____

✎ 주어진 모양과 똑같이 쌓는 데 필요한 쌓기나무의 개수를 구하세요.

③

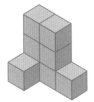

위에서 본 모양

_____ 또는 _____

✎ 원기둥을 모두 찾아 기호를 써 보세요.

④ 가   나   다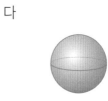

라   마 바

_____

✎ 원뿔과 구를 모두 찾아 기호를 써 보세요.

⑤ 가   나   다

라 마 바

원뿔 : _____, 구 : _____

✎ 각뿔을 보고 물음에 답하세요.

가 　　나 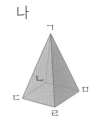　　다

① **나**에서 밑면과 옆면을 모두 찾아 써 보세요.

밑면 : _____

옆면 : _____

② 각뿔의 이름을 각각 써 보세요.

가 : _____ , 나 : _____ , 다 : _____

✎ 쌓기나무로 쌓은 모양과 이를 위에서 본 모양입니다. 앞과 옆에서 본 모양을 그려 보세요.

③

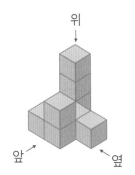

위 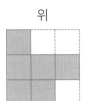　　앞 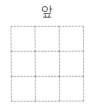　　옆

✎ 풀이 과정을 쓰고 답을 구하세요.

④ 한 밑면의 둘레가 24 cm이고 높이가 11 cm인 원기둥의 옆면의 넓이를 구하세요.

풀이 :

답 : _____

⑤ 밑면의 지름이 9 cm, 높이가 7 cm인 원기둥의 옆면의 넓이를 구하세요. (원주율: 3.1)

풀이 :

답 : _____

✎ 물음에 답하세요.

⑥ 원뿔을 위에서 본 모양의 둘레와 앞에서 본 모양의 둘레는 몇 cm일까요? (원주율: 3)

위   30 cm   34 cm
                              16 cm
앞

위에서 본 모양 : _____ , 앞에서 본 모양 : _____

✎ 물음에 답하세요.

① 각기둥의 높이는 몇 cm일까요?

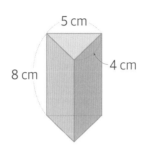

_____

② 각뿔의 높이는 몇 cm일까요?

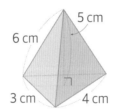

_____

✎ 쌓기나무로 쌓은 모양을 보고 위에서 본 모양에 각 칸의 층수를 써 보세요.

③

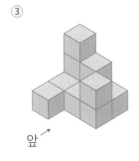
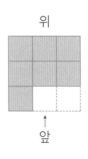

④

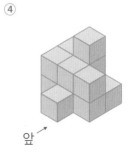
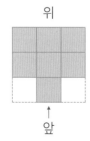

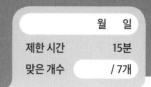

월 일

제한 시간 15분

맞은 개수 / 7개

✎ 원기둥과 원기둥의 전개도를 보고 ☐ 안에 알맞은 수를 써넣으세요. (원주율: 3.1)

⑤

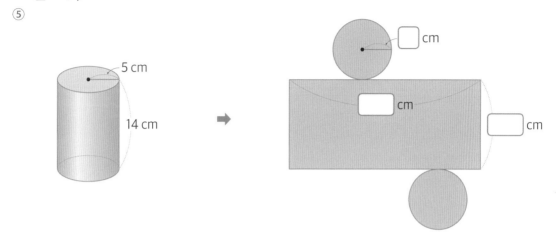

⑥

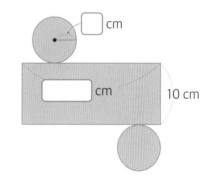

✎ 물음에 답하세요.

⑦ 지름을 기준으로 반원 모양 종이를 한 바퀴 돌려 만든 입체도형의 지름은 몇 cm일까요?

16 cm

✎ 각기둥의 전개도를 완성하세요.

①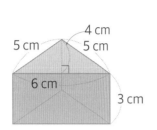

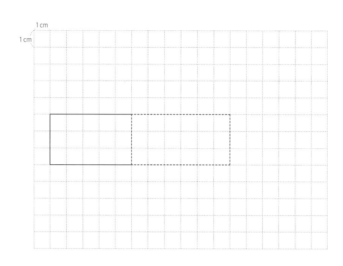

✎ 물음에 답하세요.

② 쌓기나무로 쌓은 모양을 보고 1층, 2층, 3층 모양을 각각 그려 보세요.

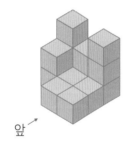

앞↗

1층	2층	3층
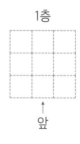	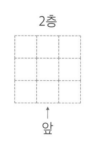	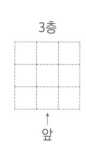
↑앞	↑앞	↑앞

③ 쌓기나무로 쌓은 모양을 층별로 나타낸 모양입니다. 앞에서 본 모양을 그려 보고 똑같은 모양으로 쌓는 데 필요한 쌓기나무의 개수를 구하세요.

1층	2층	3층		앞
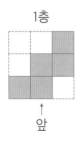	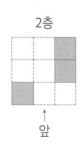	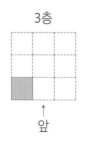		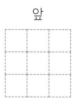
↑앞	↑앞	↑앞		

✏️ 물음에 답하세요.

④ 원기둥의 높이는 몇 cm일까요?

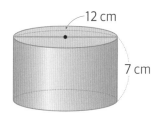

_____

⑤ 한 변을 기준으로 직사각형 모양 종이를 돌려 만든 입체도형의 밑면의 지름과 높이는 몇 cm일까요?

밑면의 지름 : _____, 높이 : _____

✏️ 물음에 답하세요.

⑥ 한 변을 기준으로 직각삼각형 모양 종이를 돌려 만든 입체도형의 밑면의 지름, 모선의 길이, 높이를 구하세요.

밑면의 지름 : _____, 모선의 길이 : _____, 높이 : _____

✎ 표를 완성하세요.

①

도형	한 밑면의 변의 수(개)	꼭짓점의 수(개)	면의 수(개)	모서리의 수(개)
육각기둥		12	8	18
십각기둥	10			
육각뿔	6	7		
십각뿔			11	20

✎ 물음에 답하세요.

② 모양에 쌓기나무 1개를 붙여서 만들 수 있는 모양이 <u>아닌</u> 것을 찾아 기호를 써 보세요.

가   나   다   라

   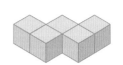

③ 쌓기나무를 4개씩 붙여서 만든 두 가지 모양을 사용하여 아래의 모양 2개를 만들었습니다. 어떻게 만들었는지 구분하여 색칠해 보세요.

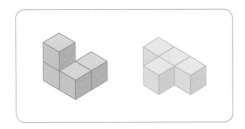  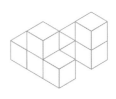

✎ 풀이 과정을 쓰고 답을 구하세요.

④ 원기둥의 옆면의 넓이가 168 cm²일 때, 원기둥의 높이는 몇 cm일까요? (원주율: 3)

풀이 :

답 : _____

⑤ 원기둥의 옆면의 넓이가 186 cm²일 때 밑면의 반지름을 구하세요. (원주율: 3.1)

풀이 :

답 : _____

✎ 물음에 답하세요.

⑥ 다음은 여러 가지 도형으로 만든 모양입니다. 원기둥, 원뿔, 구는 각각 몇 개일까요?

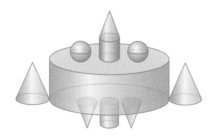

원기둥 : _____, 원뿔 : _____, 구 : _____

Memo

하루 10분 서술형/문장제 학습지

수학
독해
정답

F4 　입체도형
　　　초6

정답

F4 입체도형 초6

각기둥과 각뿔

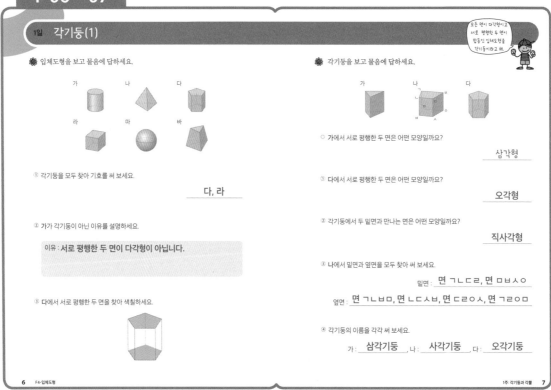

1일 각기둥(1)

모든 면이 다각형이고
서로 평행한 두 면이
합동인 입체도형을
각기둥이라고 해.

❀ 입체도형을 보고 물음에 답하세요.

가   나   다

라   마   바

① 각기둥을 모두 찾아 기호를 써 보세요.

다, 라

② 가가 각기둥이 아닌 이유를 설명하세요.

이유 : 서로 평행한 두 면이 다각형이 아닙니다.

③ 다에서 서로 평행한 두 면을 찾아 색칠하세요.

❀ 각기둥을 보고 물음에 답하세요.

가   나   다

○ 가에서 서로 평행한 두 면은 어떤 모양일까요?

삼각형

① 다에서 서로 평행한 두 면은 어떤 모양일까요?

오각형

② 각기둥에서 두 밑면과 만나는 면은 어떤 모양일까요?

직사각형

③ 나에서 밑면과 옆면을 모두 찾아 써 보세요.

밑면 : 면 ㄱㄴㄷㄹ, 면 ㅁㅂㅅㅇ

옆면 : 면 ㄱㄴㅂㅁ, 면 ㄴㄷㅅㅂ, 면 ㄷㄹㅇㅅ, 면 ㄱㄹㅇㅁ

④ 각기둥의 이름을 각각 써 보세요.

가 : 삼각기둥 , 나 : 사각기둥 , 다 : 오각기둥

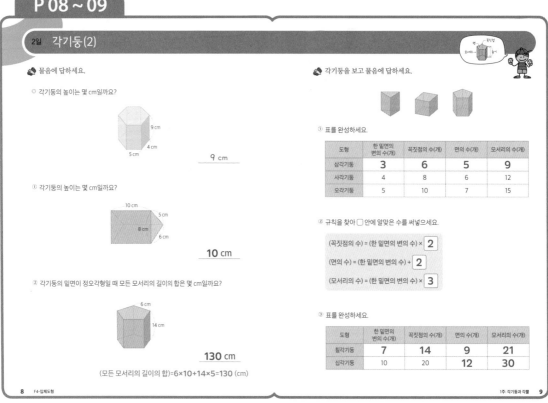

2일 각기둥(2)

❀ 물음에 답하세요.

○ 각기둥의 높이는 몇 cm일까요?

9 cm
5 cm   4 cm

9 cm

① 각기둥의 높이는 몇 cm일까요?

10 cm
5 cm
8 cm
6 cm

10 cm

② 각기둥의 밑면이 정오각형일 때 모든 모서리의 길이의 합은 몇 cm일까요?

6 cm
14 cm

130 cm

(모든 모서리의 길이의 합)=6×10+14×5=130 (cm)

❀ 각기둥을 보고 물음에 답하세요.

① 표를 완성하세요.

도형	한 밑면의 변의 수(개)	꼭짓점의 수(개)	면의 수(개)	모서리의 수(개)
삼각기둥	3	6	5	9
사각기둥	4	8	6	12
오각기둥	5	10	7	15

② 규칙을 찾아 □ 안에 알맞은 수를 써넣으세요.

(꼭짓점의 수) = (한 밑면의 변의 수) × 2

(면의 수) = (한 밑면의 변의 수) + 2

(모서리의 수) = (한 밑면의 변의 수) × 3

③ 표를 완성하세요.

도형	한 밑면의 변의 수(개)	꼭짓점의 수(개)	면의 수(개)	모서리의 수(개)
칠각기둥	7	14	9	21
십각기둥	10	20	12	30

P 10 ~ 11

3일 각기둥의 전개도

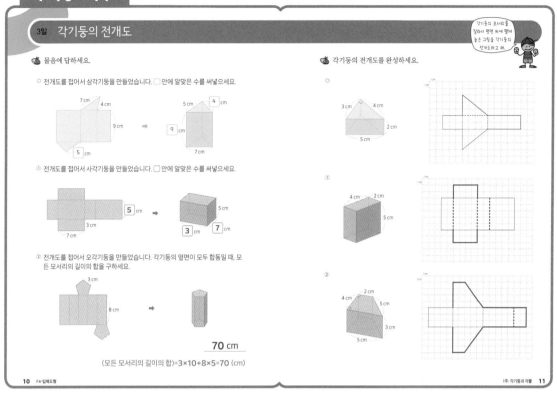

🐝 물음에 답하세요.

◎ 전개도를 접어서 삼각기둥을 만들었습니다. ☐ 안에 알맞은 수를 써넣으세요.

⇒ 5 cm, 4 cm, 9 cm, 7 cm

① 전개도를 접어서 사각기둥을 만들었습니다. ☐ 안에 알맞은 수를 써넣으세요.

⇒ 5 cm, 3 cm, 7 cm

② 전개도를 접어서 오각기둥을 만들었습니다. 각기둥의 옆면이 모두 합동일 때, 모든 모서리의 길이의 합을 구하세요.

70 cm

(모든 모서리의 길이의 합)=3×10+8×5=70 (cm)

🐝 각기둥의 전개도를 완성하세요.

◎ 3 cm, 4 cm, 2 cm, 5 cm

① 4 cm, 2 cm, 5 cm

② 4 cm, 2 cm, 5 cm, 3 cm, 5 cm

P 12 ~ 13

4일 각뿔(1)

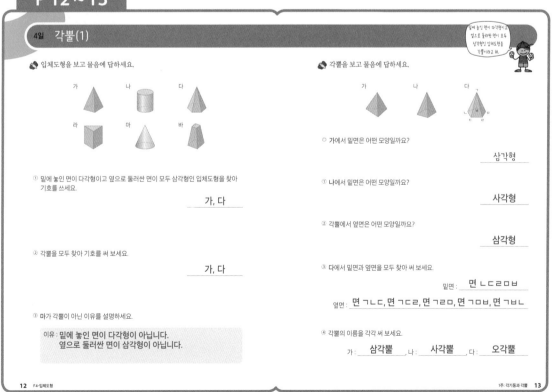

🦋 입체도형을 보고 물음에 답하세요.

가 나 다
라 마 바

① 밑에 놓인 면이 다각형이고 옆으로 둘러싼 면이 모두 삼각형인 입체도형을 찾아 기호를 쓰세요.

가, 다

② 각뿔을 모두 찾아 기호를 써 보세요.

가, 다

③ 마가 각뿔이 아닌 이유를 설명하세요.

이유 : 밑에 놓인 면이 다각형이 아닙니다.
옆으로 둘러싼 면이 삼각형이 아닙니다.

🦋 각뿔을 보고 물음에 답하세요.

가 나 다

◎ 가에서 밑면은 어떤 모양일까요?

삼각형

① 나에서 밑면은 어떤 모양일까요?

사각형

② 각뿔에서 옆면은 어떤 모양일까요?

삼각형

③ 다에서 밑면과 옆면을 모두 찾아 써 보세요.

밑면 : 면 ㄴㄷㄹㅁㅂ

옆면 : 면 ㄱㄴㄷ, 면 ㄱㄷㄹ, 면 ㄱㄹㅁ, 면 ㄱㅁㅂ, 면 ㄱㅂㄴ

④ 각뿔의 이름을 각각 써 보세요.

가 : **삼각뿔** , 나 : **사각뿔** , 다 : **오각뿔**

5일 각뿔(2)

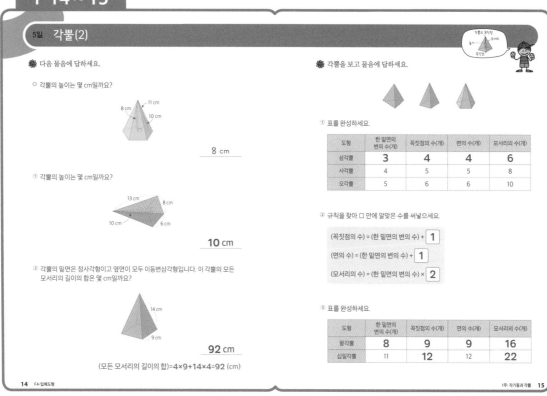

✿ 다음 물음에 답하세요.

ⓞ 각뿔의 높이는 몇 cm일까요?

8 cm

① 각뿔의 높이는 몇 cm일까요?

10 cm

② 각뿔의 밑면은 정사각형이고 옆면이 모두 이등변삼각형입니다. 이 각뿔의 모든 모서리의 길이의 합은 몇 cm일까요?

92 cm

(모든 모서리의 길이의 합)=4×9+14×4=92 (cm)

✿ 각뿔을 보고 물음에 답하세요.

① 표를 완성하세요.

도형	한 밑면의 변의 수(개)	꼭짓점의 수(개)	면의 수(개)	모서리의 수(개)
삼각뿔	3	4	4	6
사각뿔	4	5	5	8
오각뿔	5	6	6	10

② 규칙을 찾아 □ 안에 알맞은 수를 써넣으세요.

(꼭짓점의 수) = (한 밑면의 변의 수) + 1

(면의 수) = (한 밑면의 변의 수) + 1

(모서리의 수) = (한 밑면의 변의 수) × 2

③ 표를 완성하세요.

도형	한 밑면의 변의 수(개)	꼭짓점의 수(개)	면의 수(개)	모서리의 수(개)
팔각뿔	8	9	9	16
십일각뿔	11	12	12	22

확인학습

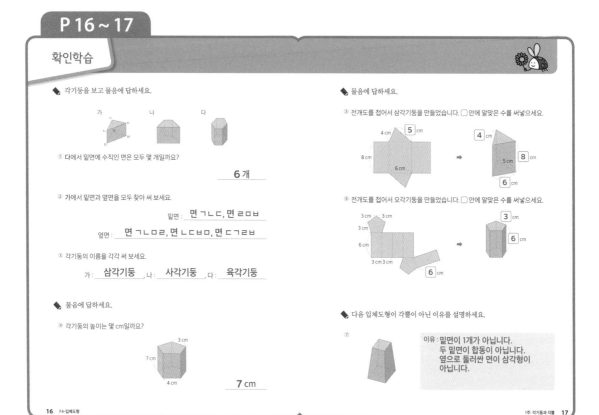

✏ 각기둥을 보고 물음에 답하세요.

가   나   다

① 다에서 밑면에 수직인 면은 모두 몇 개일까요?

6 개

② 가에서 밑면과 옆면을 모두 찾아 써 보세요.

밑면 : **면 ㄱㄴㄷ, 면 ㄹㅁㅂ**

옆면 : **면 ㄱㄴㅁㄹ, 면 ㄴㄷㅂㅁ, 면 ㄷㄱㄹㅂ**

③ 각기둥의 이름을 각각 써 보세요.

가 : **삼각기둥** , 나 : **사각기둥** , 다 : **육각기둥**

✏ 물음에 답하세요.

④ 각기둥의 높이는 몇 cm일까요?

7 cm

✏ 물음에 답하세요.

⑤ 전개도를 접어서 삼각기둥을 만들었습니다. □ 안에 알맞은 수를 써넣으세요.

4 cm   **8** cm   **5** cm   **6** cm

⑥ 전개도를 접어서 오각기둥을 만들었습니다. □ 안에 알맞은 수를 써넣으세요.

3 cm   **6** cm

✏ 다음 입체도형이 각뿔이 아닌 이유를 설명하세요.

⑦

이유 : 밑면이 1개가 아닙니다.
두 밑면이 합동이 아닙니다.
옆으로 둘러싼 면이 삼각형이
아닙니다.

P 18

확인학습

✎ 각뿔을 보고 물음에 답하세요.

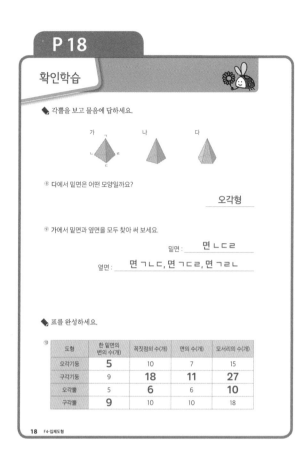

가   나   다

⑧ 다에서 밑면은 어떤 모양일까요?

오각형

⑨ 가에서 밑면과 옆면을 모두 찾아 써 보세요.

밑면 : __면 ㄴㄷㄹ__

옆면 : __면 ㄱㄴㄷ, 면 ㄱㄷㄹ, 면 ㄱㄹㄴ__

✎ 표를 완성하세요.

⑩

도형	한 밑면의 변의 수(개)	꼭짓점의 수(개)	면의 수(개)	모서리의 수(개)
오각기둥	**5**	10	7	15
구각기둥	9	**18**	**11**	**27**
오각뿔	5	**6**	6	**10**
구각뿔	**9**	10	10	18

P 20 ~ 21

1일 쌓기나무의 개수

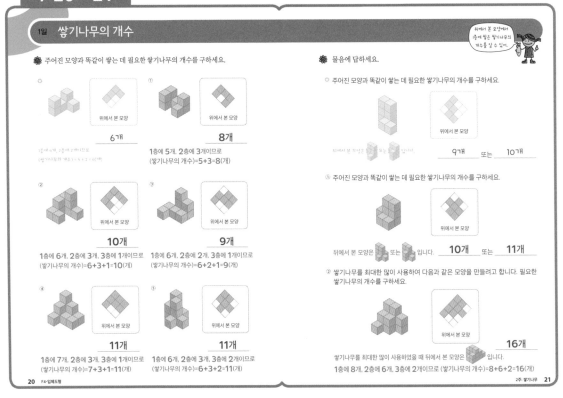

P 22 ~ 23

2일 위, 앞, 옆에서 본 모양

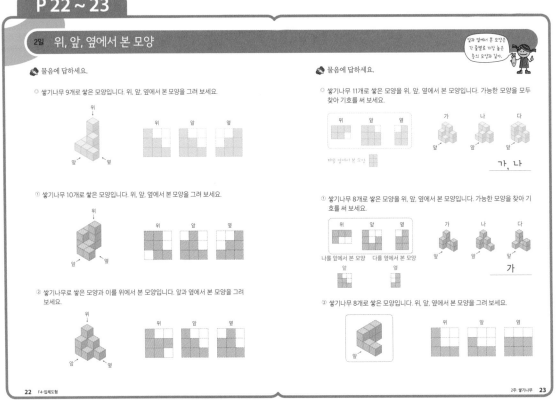

P 24 ~ 25

3일 위에서 본 모양에 수 쓰기

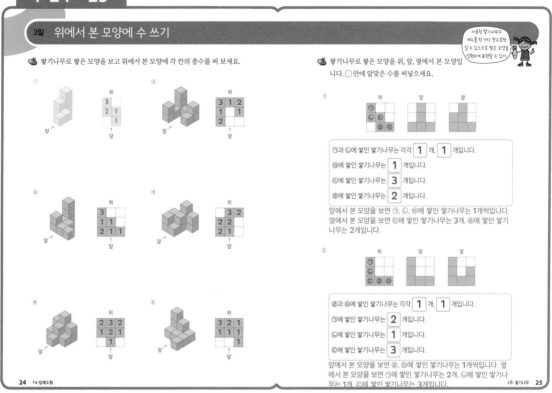

P 26 ~ 27

4일 층별로 나타낸 모양 그리기

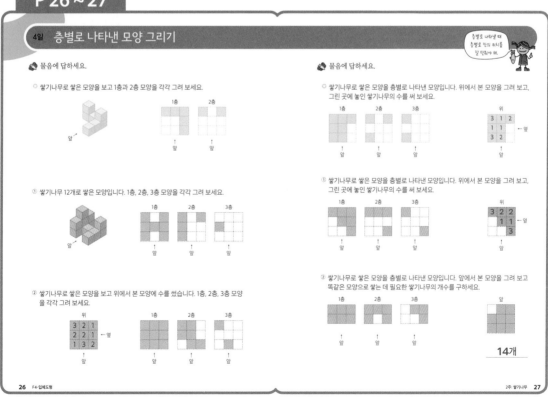

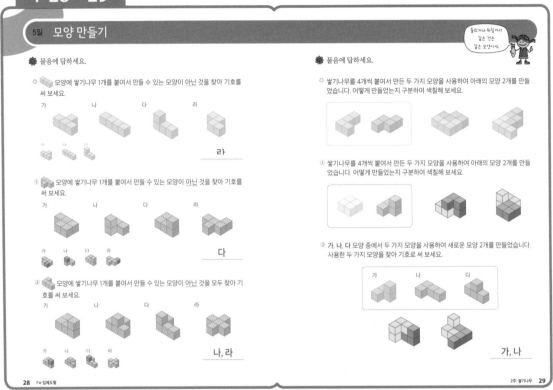

5일 모양 만들기

돌리거나 뒤집어서 같은 것은 같은 모양이야.

❀ 물음에 답하세요.

○ [쌓기나무 모양] 모양에 쌓기나무 1개를 붙여서 만들 수 있는 모양이 <u>아닌</u> 것을 찾아 기호를 써 보세요.

가　나　다　라

라

① 모양에 쌓기나무 1개를 붙여서 만들 수 있는 모양이 <u>아닌</u> 것을 찾아 기호를 써 보세요.

가　나　다　라

다

② 모양에 쌓기나무 1개를 붙여서 만들 수 있는 모양이 <u>아닌</u> 것을 모두 찾아 기호를 써 보세요.

가　나　다　라

나, 라

❀ 물음에 답하세요.

○ 쌓기나무를 4개씩 붙여서 만든 두 가지 모양을 사용하여 아래의 모양 2개를 만들었습니다. 어떻게 만들었는지 구분하여 색칠해 보세요.

① 쌓기나무를 4개씩 붙여서 만든 두 가지 모양을 사용하여 아래의 모양 2개를 만들었습니다. 어떻게 만들었는지 구분하여 색칠해 보세요.

② 가, 나, 다 모양 중에서 두 가지 모양을 사용하여 새로운 모양 2개를 만들었습니다. 사용한 두 가지 모양을 찾아 기호로 써 보세요.

가　나　다

가, 나

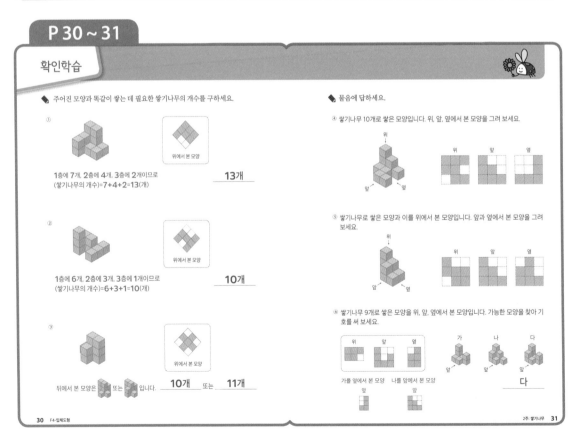

확인학습

✎ 주어진 모양과 똑같이 쌓는 데 필요한 쌓기나무의 개수를 구하세요.

①

위에서 본 모양

1층에 7개, 2층에 4개, 3층에 2개이므로
(쌓기나무의 개수)=7+4+2=13(개)

13개

②

위에서 본 모양

1층에 6개, 2층에 3개, 3층에 1개이므로
(쌓기나무의 개수)=6+3+1=10(개)

10개

③

위에서 본 모양

뒤에서 본 모양은 □ 또는 □ 입니다.　**10개**　또는　**11개**

✎ 물음에 답하세요.

④ 쌓기나무 10개로 쌓은 모양입니다. 위, 앞, 옆에서 본 모양을 그려 보세요.

위　앞　옆

⑤ 쌓기나무로 쌓은 모양과 이를 위에서 본 모양입니다. 앞과 옆에서 본 모양을 그려 보세요.

위　앞　옆

⑥ 쌓기나무 9개로 쌓은 모양을 위, 앞, 옆에서 본 모양입니다. 가능한 모양을 찾아 기호를 써 보세요.

위　앞　옆　　가　나　다

가를 옆에서 본 모양　나를 앞에서 본 모양

옆　앞

다

P 32

확인학습

✎ 물음에 답하세요.

⑦ 쌓기나무 12개로 쌓은 모양입니다. 1층, 2층, 3층 모양을 각각 그려 보세요.

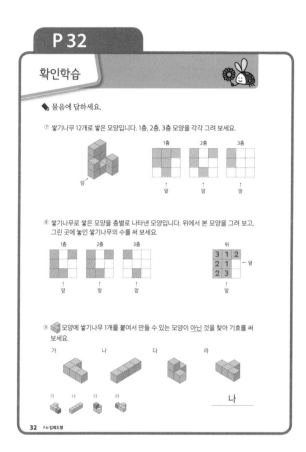

⑧ 쌓기나무로 쌓은 모양을 층별로 나타낸 모양입니다. 위에서 본 모양을 그려 보고, 그린 곳에 놓인 쌓기나무의 수를 써 보세요.

⑨ 모양에 쌓기나무 1개를 붙여서 만들 수 있는 모양이 아닌 것을 찾아 기호를 써 보세요.

가　　　나　　　다　　　라

가 나 다 라

___나___

P 34 ~ 35

1일 원기둥(1)

밑면
옆면 높이
밑면

🌸 원기둥을 모두 찾아 기호를 써 보세요.

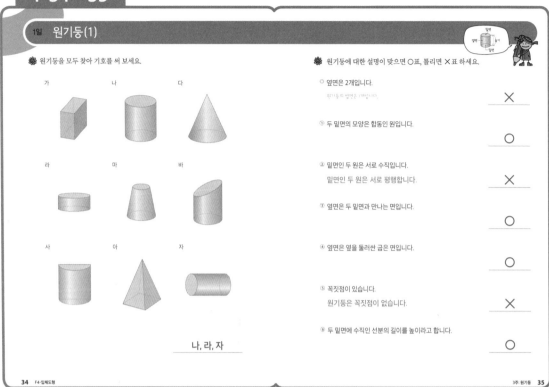

가   나   다

라   마   바

사   아   자

나, 라, 자

🌸 원기둥에 대한 설명이 맞으면 ○표, 틀리면 ✕표 하세요.

○ 옆면은 2개입니다.

    원기둥의 옆면은 1개입니다.   ✕

① 두 밑면의 모양은 합동인 원입니다.   ○

② 밑면인 두 원은 서로 수직입니다.

    밑면인 두 원은 서로 평행합니다.   ✕

③ 옆면은 두 밑면과 만나는 면입니다.   ○

④ 옆면은 옆을 둘러싼 굽은 면입니다.   ○

⑤ 꼭짓점이 있습니다.

    원기둥은 꼭짓점이 없습니다.   ✕

⑥ 두 밑면에 수직인 선분의 길이를 높이라고 합니다.   ○

P 36 ~ 37

2일 원기둥(2)

직사각형 모양의 종이를 한 변을 기준으로 돌리면 원기둥이 돼.

🐚 물음에 답하세요.

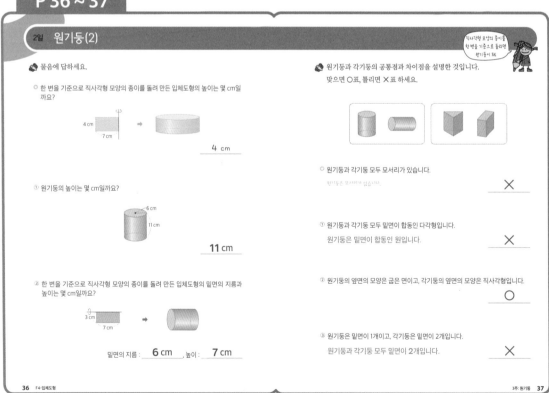

○ 한 변을 기준으로 직사각형 모양의 종이를 돌려 만든 입체도형의 높이는 몇 cm일까요?

4 cm
7 cm   ➡

4 cm

① 원기둥의 높이는 몇 cm일까요?

6 cm
11 cm

11 cm

② 한 변을 기준으로 직사각형 모양의 종이를 돌려 만든 입체도형의 밑면의 지름과 높이는 몇 cm일까요?

3 cm
7 cm   ➡

밑면의 지름 : **6 cm** , 높이 : **7 cm**

🐚 원기둥과 각기둥의 공통점과 차이점을 설명한 것입니다. 맞으면 ○표, 틀리면 ✕표 하세요.

○ 원기둥과 각기둥 모두 모서리가 있습니다.

    원기둥은 모서리가 없습니다.   ✕

① 원기둥과 각기둥 모두 밑면이 합동인 다각형입니다.

    원기둥은 밑면이 합동인 원입니다.   ✕

② 원기둥의 옆면의 모양은 굽은 면이고, 각기둥의 옆면의 모양은 직사각형입니다.   ○

③ 원기둥은 밑면이 1개이고, 각기둥은 밑면이 2개입니다.

    원기둥과 각기둥 모두 밑면이 2개입니다.   ✕

P 38 ~ 39

3일 원기둥의 전개도

원기둥의 전개도를 모두 찾아 기호를 써 보세요.

가　나

다　라

마　바

나, 마

원기둥의 전개도를 보고 물음에 답하세요.

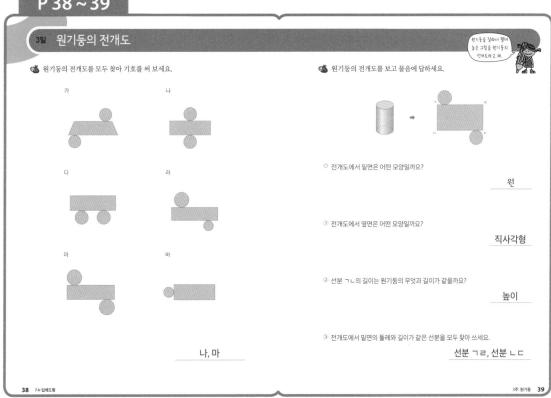

ⓞ 전개도에서 밑면은 어떤 모양일까요?

원

① 전개도에서 옆면은 어떤 모양일까요?

직사각형

② 선분 ㄱㄴ의 길이는 원기둥의 무엇과 길이가 같을까요?

높이

③ 전개도에서 밑면의 둘레와 길이가 같은 선분을 모두 찾아 쓰세요.

선분 ㄱㄹ, 선분 ㄴㄷ

P 40 ~ 41

4일 길이, 넓이 구하기(1)

원기둥과 원기둥의 전개도를 보고 □ 안에 알맞은 수를 써넣으세요. (원주율: 3.1)

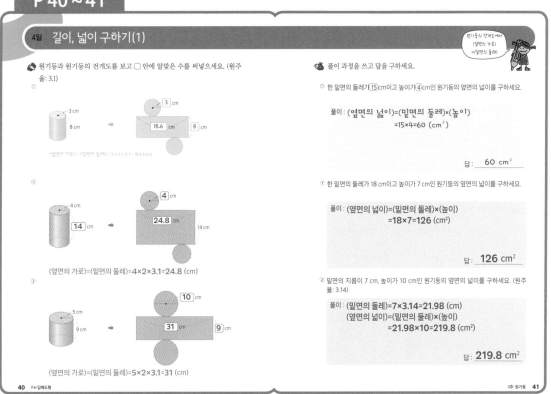

ⓞ
3 cm, 8 cm → 3 cm, 18.6, 8 cm
(옆면의 가로)=(밑면의 둘레)=3×2×3.1=18.6 (cm)

① 4 cm, 14 → 4 cm, 24.8 cm, 14 cm
(옆면의 가로)=(밑면의 둘레)=4×2×3.1=24.8 (cm)

② 5 cm, 9 cm → 10, 31 cm, 9 cm
(옆면의 가로)=(밑면의 둘레)=5×2×3.1=31 (cm)

풀이 과정을 쓰고 답을 구하세요.

ⓞ 한 밑면의 둘레가 15 cm이고 높이가 4 cm인 원기둥의 옆면의 넓이를 구하세요.

풀이: (옆면의 넓이)=(밑면의 둘레)×(높이)
=15×4=60 (cm²)

답: 60 cm²

① 한 밑면의 둘레가 18 cm이고 높이가 7 cm인 원기둥의 옆면의 넓이를 구하세요.

풀이: (옆면의 넓이)=(밑면의 둘레)×(높이)
=18×7=126 (cm²)

답: 126 cm²

② 밑면의 지름이 7 cm, 높이가 10 cm인 원기둥의 옆면의 넓이를 구하세요. (원주율: 3.14)

풀이: (밑면의 둘레)=7×3.14=21.98 (cm)
(옆면의 넓이)=(밑면의 둘레)×(높이)
=21.98×10=219.8 (cm²)

답: 219.8 cm²

원기둥

P 42 ~ 43

5일 길이, 넓이 구하기(2)

(원기둥의 높이)
=(옆면의 넓이)÷(밑면의 둘레)

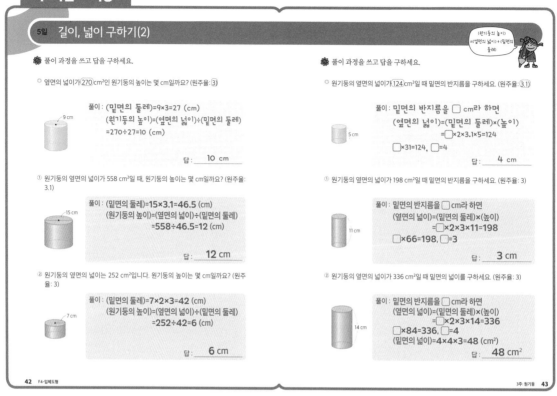

🌸 풀이 과정을 쓰고 답을 구하세요.

◦ 옆면의 넓이가 270 cm²인 원기둥의 높이는 몇 cm일까요? (원주율: 3)

9 cm

풀이 : (밑면의 둘레)=9×3=27 (cm)
　　　(원기둥의 높이)=(옆면의 넓이)÷(밑면의 둘레)
　　　=270÷27=10 (cm)

답 : _10_ cm

① 원기둥의 옆면의 넓이가 558 cm²일 때, 원기둥의 높이는 몇 cm일까요? (원주율: 3.1)

15 cm

풀이 : (밑면의 둘레)=15×3.1=46.5 (cm)
　　　(원기둥의 높이)=(옆면의 넓이)÷(밑면의 둘레)
　　　=558÷46.5=12 (cm)

답 : **12 cm**

② 원기둥의 옆면의 넓이는 252 cm²입니다. 원기둥의 높이는 몇 cm일까요? (원주율: 3)

7 cm

풀이 : (밑면의 둘레)=7×2×3=42 (cm)
　　　(원기둥의 높이)=(옆면의 넓이)÷(밑면의 둘레)
　　　=252÷42=6 (cm)

답 : **6 cm**

🌸 풀이 과정을 쓰고 답을 구하세요.

◦ 원기둥의 옆면의 넓이가 124 cm²일 때 밑면의 반지름을 구하세요. (원주율: 3.1)

5 cm

풀이 : 밑면의 반지름을 ☐ cm라 하면
　　　(옆면의 넓이)=(밑면의 둘레)×(높이)
　　　=☐×2×3.1×5=124
　　　☐×31=124, ☐=4

답 : _4_ cm

① 원기둥의 옆면의 넓이가 198 cm²일 때 밑면의 반지름을 구하세요. (원주율: 3)

11 cm

풀이 : 밑면의 반지름을 ☐ cm라 하면
　　　(옆면의 넓이)=(밑면의 둘레)×(높이)
　　　=☐×2×3×11=198
　　　☐×66=198, ☐=3

답 : **3 cm**

② 원기둥의 옆면의 넓이가 336 cm²일 때 밑면의 넓이를 구하세요. (원주율: 3)

14 cm

풀이 : 밑면의 반지름을 ☐ cm라 하면
　　　(옆면의 넓이)=(밑면의 둘레)×(높이)
　　　=☐×2×3×14=336
　　　☐×84=336, ☐=4
　　　(밑면의 넓이)=4×4×3=48 (cm²)

답 : **48 cm²**

P 44 ~ 45

확인학습

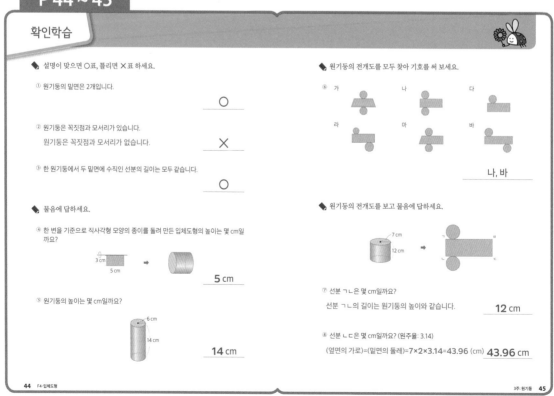

◆ 설명이 맞으면 ○표, 틀리면 ✕표 하세요.

① 원기둥의 밑면은 2개입니다.　　　　　　　　　○

② 원기둥은 꼭짓점과 모서리가 있습니다.
　원기둥은 꼭짓점과 모서리가 없습니다.　　　　✕

③ 한 원기둥에서 두 밑면에 수직인 선분의 길이는 모두 같습니다.　　　○

◆ 물음에 답하세요.

④ 한 변을 기준으로 직사각형 모양의 종이를 돌려 만든 입체도형의 높이는 몇 cm일까요?

3 cm
5 cm

5 cm

⑤ 원기둥의 높이는 몇 cm일까요?

6 cm
14 cm

14 cm

◆ 원기둥의 전개도를 모두 찾아 기호를 써 보세요.

가　나　다
라　마　바

나, 바

◆ 원기둥의 전개도를 보고 물음에 답하세요.

7 cm
12 cm

⑦ 선분 ㄱㄴ은 몇 cm일까요?
　선분 ㄱㄴ의 길이는 원기둥의 높이와 같습니다.　　**12 cm**

⑧ 선분 ㄴㄷ은 몇 cm일까요? (원주율: 3.14)
　(옆면의 가로)=(밑면의 둘레)=7×2×3.14=43.96 (cm)　**43.96 cm**

P 46

확인학습

✎ 풀이 과정을 쓰고 답을 구하세요.

⑨ 밑면인 원의 지름이 8 cm, 높이가 13 cm인 원기둥의 옆면의 넓이를 구하세요. (원주율: 3)

풀이 : (밑면의 둘레)=8×3=24(cm)
(옆면의 넓이)=(밑면의 둘레)×(높이)
=24×13=312 (cm²)

답 : __312 cm²__

⑩ 원기둥의 옆면의 넓이는 125.6 cm²입니다. 원기둥의 높이는 몇 cm일까요? (원주율: 3.14)

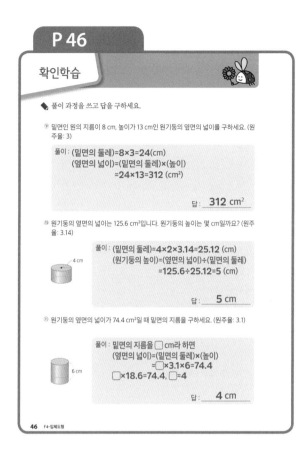

풀이 : (밑면의 둘레)=4×2×3.14=25.12 (cm)
(원기둥의 높이)=(옆면의 넓이)÷(밑면의 둘레)
=125.6÷25.12=5 (cm)

답 : __5 cm__

⑪ 원기둥의 옆면의 넓이가 74.4 cm²일 때 밑면의 지름을 구하세요. (원주율: 3.1)

풀이 : 밑면의 지름을 ☐ cm라 하면
(옆면의 넓이)=(밑면의 둘레)×(높이)
=☐×3.1×6=74.4
☐×18.6=74.4, ☐=4

답 : __4 cm__

원뿔과 구

4주

P 48 ~ 49

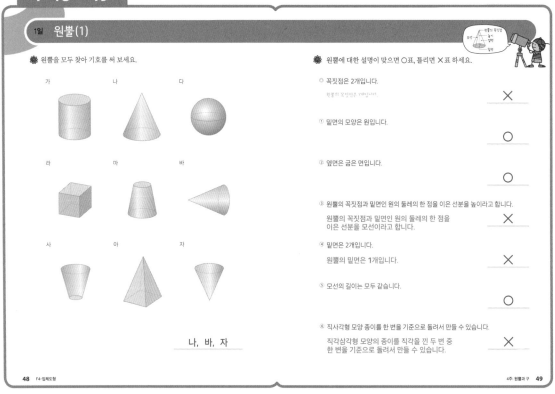

1일 원뿔(1)

✿ 원뿔을 모두 찾아 기호를 써 보세요.

가 나 다

라 마 바

사 아 자

나, 바, 자

✿ 원뿔에 대한 설명이 맞으면 ○표, 틀리면 ✕표 하세요.

⓪ 꼭짓점은 2개입니다.
　원뿔의 꼭짓점은 1개입니다.　✕

① 밑면의 모양은 원입니다.　○

② 옆면은 굽은 면입니다.　○

③ 원뿔의 꼭짓점과 밑면인 원의 둘레의 한 점을 이은 선분을 높이라고 합니다.
　원뿔의 꼭짓점과 밑면인 원의 둘레의 한 점을
　이은 선분을 모선이라고 합니다.　✕

④ 밑면은 2개입니다.
　원뿔의 밑면은 1개입니다.　✕

⑤ 모선의 길이는 모두 같습니다.　○

⑥ 직사각형 모양 종이를 한 변을 기준으로 돌려서 만들 수 있습니다.
　직각삼각형 모양의 종이를 직각을 낀 두 변 중
　한 변을 기준으로 돌려서 만들 수 있습니다.　✕

48　F4·입체도형

4주: 원뿔과 구　49

P 50 ~ 51

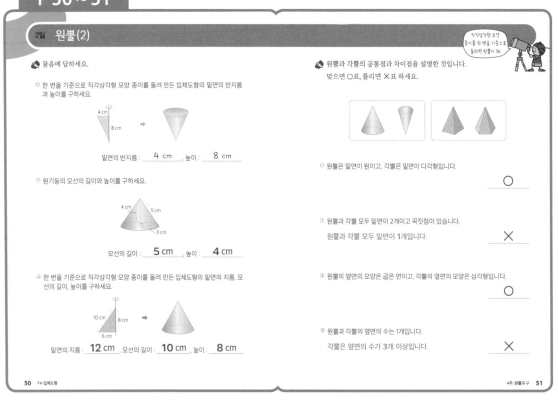

2일 원뿔(2)

✿ 물음에 답하세요.

⓪ 한 변을 기준으로 직각삼각형 모양 종이를 돌려 만든 입체도형의 밑면의 반지름과 높이를 구하세요.

4 cm
8 cm　➡

밑면의 반지름 : ___4___ cm , 높이 : ___8___ cm

① 원기둥의 모선의 길이와 높이를 구하세요.

4 cm　5 cm
3 cm

모선의 길이 : ___5___ cm , 높이 : ___4___ cm

② 한 변을 기준으로 직각삼각형 모양 종이를 돌려 만든 입체도형의 밑면의 지름, 모선의 길이, 높이를 구하세요.

10 cm　8 cm
6 cm　➡

밑면의 지름 : ___12___ cm , 모선의 길이 : ___10___ cm , 높이 : ___8___ cm

✿ 원뿔과 각뿔의 공통점과 차이점을 설명한 것입니다.
맞으면 ○표, 틀리면 ✕표 하세요.

⓪ 원뿔은 밑면이 원이고, 각뿔은 밑면이 다각형입니다.　○

① 원뿔과 각뿔 모두 밑면이 2개이고 꼭짓점이 있습니다.
　원뿔과 각뿔 모두 밑면이 1개입니다.　✕

② 원뿔의 옆면의 모양은 굽은 면이고, 각뿔의 옆면의 모양은 삼각형입니다.　○

③ 원뿔과 각뿔의 옆면의 수는 1개입니다.
　각뿔은 옆면의 수가 3개 이상입니다.　✕

50　F4·입체도형

4주: 원뿔과 구　51

P 52 ~ 53

3일 구

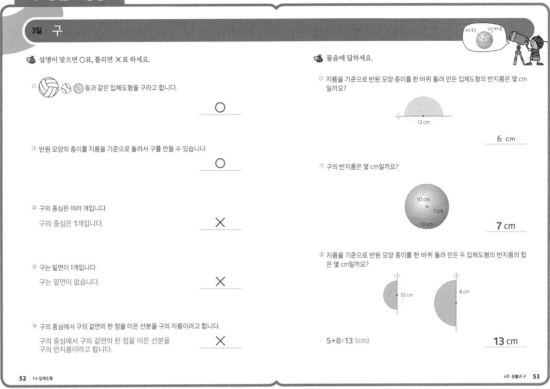

🐝 설명이 맞으면 ○표, 틀리면 ✕표 하세요.

⓪ 🏐🔵⚪등과 같은 입체도형을 구라고 합니다.

○

① 반원 모양의 종이를 지름을 기준으로 돌려서 구를 만들 수 있습니다.

○

② 구의 중심은 여러 개입니다.

구의 중심은 1개입니다. ✕

③ 구는 밑면이 1개입니다.

구는 밑면이 없습니다. ✕

④ 구의 중심에서 구의 겉면의 한 점을 이은 선분을 구의 지름이라고 합니다.

구의 중심에서 구의 겉면의 한 점을 이은 선분을 구의 반지름이라고 합니다. ✕

🐝 물음에 답하세요.

⓪ 지름을 기준으로 반원 모양 종이를 한 바퀴 돌려 만든 입체도형의 반지름은 몇 cm일까요?

12 cm

6 cm

① 구의 반지름은 몇 cm일까요?

10 cm 7 cm 12 cm

7 cm

② 지름을 기준으로 반원 모양 종이를 한 바퀴 돌려 만든 두 입체도형의 반지름의 합은 몇 cm일까요?

10 cm   8 cm

5+8=13 (cm)

13 cm

P 54 ~ 55

4일 위, 앞, 옆에서 본 모양

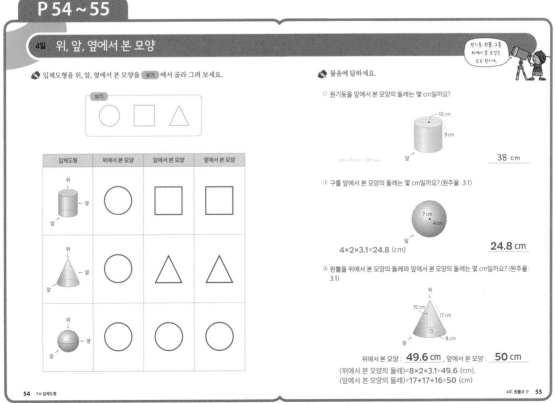

🐝 입체도형을 위, 앞, 옆에서 본 모양을 보기 에서 골라 그려 보세요.

보기
○ □ △

입체도형	위에서 본 모양	앞에서 본 모양	옆에서 본 모양
원기둥 (위/앞/옆)	○	□	□
원뿔 (위/앞/옆)	○	△	△
구 (위/앞/옆)	○	○	○

🐝 물음에 답하세요.

⓪ 원기둥을 앞에서 본 모양의 둘레는 몇 cm일까요?

10 cm 9 cm 앞

(10 + 9) × 2 = 38 (cm)

38 cm

① 구를 앞에서 본 모양의 둘레는 몇 cm일까요? (원주율: 3.1)

7 cm 4 cm 앞

4×2×3.1=24.8 (cm)

24.8 cm

② 원뿔을 위에서 본 모양의 둘레와 앞에서 본 모양의 둘레는 몇 cm일까요? (원주율: 3.1)

위 15 cm 17 cm 앞 8 cm

위에서 본 모양: **49.6 cm** 앞에서 본 모양: **50 cm**

(위에서 본 모양의 둘레)=8×2×3.1=49.6 (cm),
(앞에서 본 모양의 둘레)=17+17+16=50 (cm)

원뿔과 구

4주

P 56 ~ 57

5일 여러 가지 모양

원기둥, 원뿔, 구를 이용하여 여러 가지 모양을 만들 수 있어.

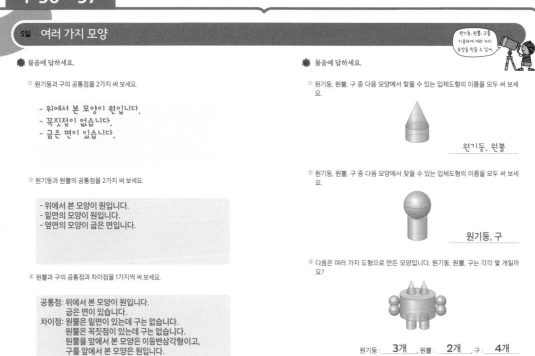

❀ 물음에 답하세요.

◯ 원기둥과 구의 공통점을 2가지 써 보세요.

- 위에서 본 모양이 원입니다.
- 꼭짓점이 없습니다.
- 굽은 면이 있습니다.

① 원기둥과 원뿔의 공통점을 2가지 써 보세요.

- 위에서 본 모양이 원입니다.
- 밑면의 모양이 원입니다.
- 옆면의 모양이 굽은 면입니다.

② 원뿔과 구의 공통점과 차이점을 1가지씩 써 보세요.

공통점: 위에서 본 모양이 원입니다.
          굽은 면이 있습니다.
차이점: 원뿔은 밑면이 있는데 구는 없습니다.
          원뿔은 꼭짓점이 있는데 구는 없습니다.
          원뿔을 앞에서 본 모양은 이등변삼각형이고,
          구를 앞에서 본 모양은 원입니다.

❀ 물음에 답하세요.

◯ 원기둥, 원뿔, 구 중 다음 모양에서 찾을 수 있는 입체도형의 이름을 모두 써 보세요.

원기둥, 원뿔

① 원기둥, 원뿔, 구 중 다음 모양에서 찾을 수 있는 입체도형의 이름을 모두 써 보세요.

원기둥, 구

② 다음은 여러 가지 도형으로 만든 모양입니다. 원기둥, 원뿔, 구는 각각 몇 개일까요?

원기둥 : **3개** , 원뿔 : **2개** , 구 : **4개**

56 F4-입체도형

4주·원뿔과 구 57

P 58 ~ 59

확인학습

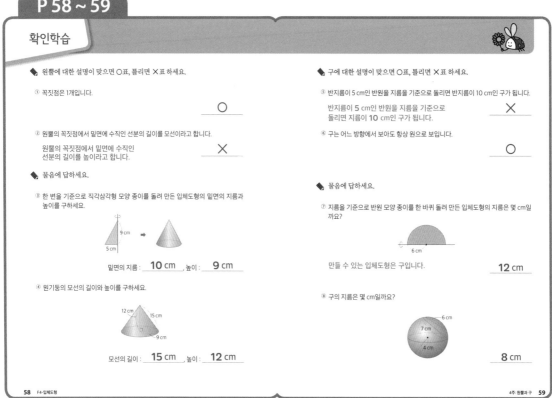

✎ 원뿔에 대한 설명이 맞으면 ◯표, 틀리면 ✕표 하세요.

① 꼭짓점은 1개입니다.

◯

② 원뿔의 꼭짓점에서 밑면에 수직인 선분의 길이를 모선이라고 합니다.

원뿔의 꼭짓점에서 밑면에 수직인
선분의 길이를 높이라고 합니다.   ✕

✎ 물음에 답하세요.

③ 한 변을 기준으로 직각삼각형 모양 종이를 돌려 만든 입체도형의 밑면의 지름과 높이를 구하세요.

밑면의 지름 : **10 cm** , 높이 : **9 cm**

④ 원기둥의 모선의 길이와 높이를 구하세요.

모선의 길이 : **15 cm** , 높이 : **12 cm**

✎ 구에 대한 설명이 맞으면 ◯표, 틀리면 ✕표 하세요.

③ 반지름이 5 cm인 반원을 지름을 기준으로 돌리면 반지름이 10 cm인 구가 됩니다.

반지름이 5 cm인 반원을 지름을 기준으로
돌리면 지름이 10 cm인 구가 됩니다.   ✕

⑥ 구는 어느 방향에서 보아도 항상 원으로 보입니다.

◯

✎ 물음에 답하세요.

⑦ 지름을 기준으로 반원 모양 종이를 한 바퀴 돌려 만든 입체도형의 지름은 몇 cm일까요?

만들 수 있는 입체도형은 구입니다.   **12 cm**

⑧ 구의 지름은 몇 cm일까요?

8 cm

58 F4-입체도형

4주·원뿔과 구 59

16 F4-입체도형

P 60

확인학습

◆ 물음에 답하세요.

⑨ 원뿔을 위에서 본 모양의 둘레는 몇 cm일까요? (원주율: 3)

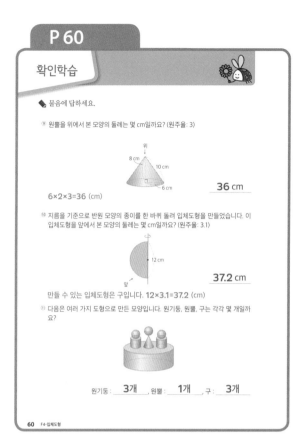

6×2×3=36 (cm)

36 cm

⑩ 지름을 기준으로 반원 모양의 종이를 한 바퀴 돌려 입체도형을 만들었습니다. 이 입체도형을 앞에서 본 모양의 둘레는 몇 cm일까요? (원주율: 3.1)

12 cm

앞

37.2 cm

만들 수 있는 입체도형은 구입니다. 12×3.1=37.2 (cm)

⑪ 다음은 여러 가지 도형으로 만든 모양입니다. 원기둥, 원뿔, 구는 각각 몇 개일까요?

원기둥 : **3개** , 원뿔 : **1개** , 구 : **3개**

P 62 ~ 63

✎ 각기둥을 보고 물음에 답하세요.

가   나   다

① 다에서 밑면과 옆면을 모두 찾아 써 보세요.

밑면 : 면 ㄱㄴㄷㄹㅁ, 면 ㅂㅅㅇㅈㅊ

옆면 : 면ㄱㄴㅅㅂ, 면ㄴㄷㅇㅅ, 면ㄷㄹㅈㅇ, 면ㄹㅁㅊㅈ, 면ㅁㄱㅂㅊ

② 각기둥의 이름을 각각 써 보세요.

가 : 삼각기둥 , 나 : 사각기둥 , 다 : 오각기둥

✎ 주어진 모양과 똑같이 쌓는 데 필요한 쌓기나무의 개수를 구하세요.

③

위에서 본 모양

뒤에서 본 모양은   또는   입니다.   9개   또는   10개

✎ 원기둥을 모두 찾아 기호를 써 보세요.

④ 가   나   다

라   마   바

나, 라

✎ 원뿔과 구를 모두 찾아 기호를 써 보세요.

⑤ 가   나   다

라   마   바

원뿔 : 가, 마   구 : 바

P 64 ~ 65

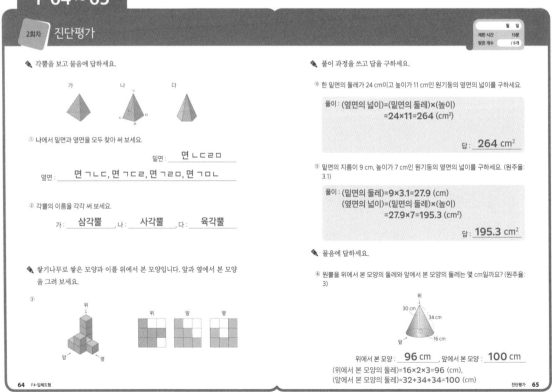

✎ 각뿔을 보고 물음에 답하세요.

가   나   다

① 나에서 밑면과 옆면을 모두 찾아 써 보세요.

밑면 : 면 ㄴㄷㄹㅁ

옆면 : 면 ㄱㄴㄷ, 면 ㄱㄷㄹ, 면 ㄱㄹㅁ, 면 ㄱㅁㄴ

② 각뿔의 이름을 각각 써 보세요.

가 : 삼각뿔 , 나 : 사각뿔 , 다 : 육각뿔

✎ 쌓기나무로 쌓은 모양과 이를 위에서 본 모양입니다. 앞과 옆에서 본 모양을 그려 보세요.

③

위

앞   옆

위   앞   옆

✎ 풀이 과정을 쓰고 답을 구하세요.

④ 한 밑면의 둘레가 24 cm이고 높이가 11 cm인 원기둥의 옆면의 넓이를 구하세요.

풀이 : (옆면의 넓이)=(밑면의 둘레)×(높이)
=24×11=264 (cm²)

답 : 264 cm²

⑤ 밑면의 지름이 9 cm, 높이가 7 cm인 원기둥의 옆면의 넓이를 구하세요. (원주율 : 3.1)

풀이 : (밑면의 둘레)=9×3.1=27.9 (cm)
(옆면의 넓이)=(밑면의 둘레)×(높이)
=27.9×7=195.3 (cm²)

답 : 195.3 cm²

✎ 물음에 답하세요.

⑥ 원뿔을 위에서 본 모양의 둘레와 앞에서 본 모양의 둘레는 몇 cm일까요? (원주율 : 3)

위

30 cm   34 cm

앞   16 cm

위에서 본 모양 : 96 cm   앞에서 본 모양 : 100 cm

(위에서 본 모양의 둘레)=16×2×3=96 (cm),
(앞에서 본 모양의 둘레)=32+34+34=100 (cm)

P 66 ~ 67

3회차 진단평가

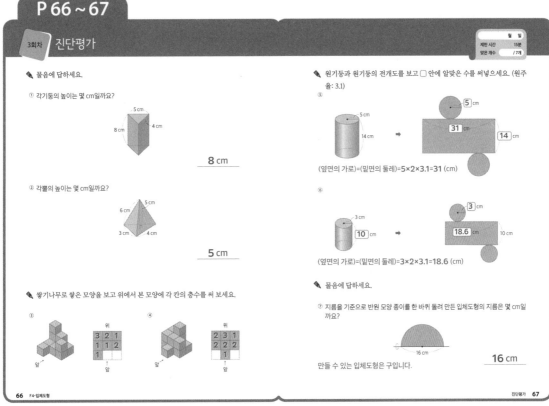

✎ 물음에 답하세요.

① 각기둥의 높이는 몇 cm일까요?

__8 cm__

② 각뿔의 높이는 몇 cm일까요?

__5 cm__

✎ 쌓기나무로 쌓은 모양을 보고 위에서 본 모양에 각 칸의 층수를 써 보세요.

③
위
3	2	1
1	1	2
1		
앞

④
위
2	3	1
2	2	2
	1	
앞

✎ 원기둥과 원기둥의 전개도를 보고 ☐ 안에 알맞은 수를 써넣으세요. (원주율: 3.1)

⑤ [5]cm [31]cm [14]cm

(옆면의 가로)=(밑면의 둘레)=5×2×3.1=31 (cm)

⑥ [10]cm [3]cm [18.6] 10 cm

(옆면의 가로)=(밑면의 둘레)=3×2×3.1=18.6 (cm)

✎ 물음에 답하세요.

⑦ 지름을 기준으로 반원 모양 종이를 한 바퀴 돌려 만든 입체도형의 지름은 몇 cm일까요?

16 cm

__16 cm__

만들 수 있는 입체도형은 구입니다.

P 68 ~ 69

4회차 진단평가

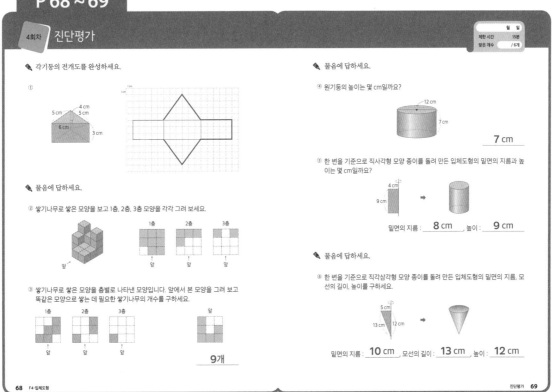

✎ 각기둥의 전개도를 완성하세요.

①

✎ 물음에 답하세요.

② 쌓기나무로 쌓은 모양을 보고 1층, 2층, 3층 모양을 각각 그려 보세요.

1층   2층   3층

③ 쌓기나무로 쌓은 모양을 층별로 나타낸 모양입니다. 앞에서 본 모양을 그려 보고 똑같은 모양으로 쌓는 데 필요한 쌓기나무의 개수를 구하세요.

1층   2층   3층   앞

__9개__

✎ 물음에 답하세요.

④ 원기둥의 높이는 몇 cm일까요?

__7 cm__

⑤ 한 변을 기준으로 직사각형 모양 종이를 돌려 만든 입체도형의 밑면의 지름과 높이는 몇 cm일까요?

밑면의 지름 : __8 cm__, 높이 : __9 cm__

✎ 물음에 답하세요.

⑥ 한 변을 기준으로 직각삼각형 모양 종이를 돌려 만든 입체도형의 밑면의 지름, 모선의 길이, 높이를 구하세요.

밑면의 지름 : __10 cm__, 모선의 길이 : __13 cm__, 높이 : __12 cm__

P 70 ~ 71

5회차 진단평가

월 일 / 제한 시간 15분 / 맞은 개수 / 6개

✎ 표를 완성하세요.

①

도형	한 밑면의 변의 수(개)	꼭짓점의 수(개)	면의 수(개)	모서리의 수(개)
육각기둥	**6**	12	8	18
십각기둥	10	**20**	**12**	**30**
육각뿔	6	7	**7**	**12**
십각뿔	**10**	**11**	11	20

✎ 물음에 답하세요.

② 🧊 모양에 쌓기나무 1개를 붙여서 만들 수 있는 모양이 아닌 것을 찾아 기호를 써 보세요.

가   나   다   라

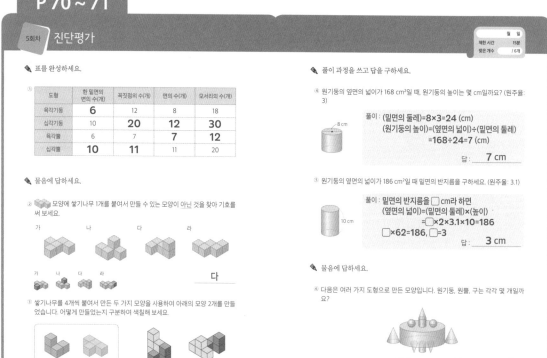

가   나   다   라   __다__

③ 쌓기나무를 4개씩 붙여서 만든 두 가지 모양을 사용하여 아래의 모양 2개를 만들었습니다. 어떻게 만들었는지 구분하여 색칠해 보세요.

✎ 풀이 과정을 쓰고 답을 구하세요.

④ 원기둥의 옆면의 넓이가 168 cm²일 때, 원기둥의 높이는 몇 cm일까요? (원주율: 3)

8 cm

풀이 : (밑면의 둘레)=8×3=24 (cm)
(원기둥의 높이)=(옆면의 넓이)÷(밑면의 둘레)
=168÷24=7 (cm)

답 : __7 cm__

⑤ 원기둥의 옆면의 넓이가 186 cm²일 때 밑면의 반지름을 구하세요. (원주율: 3.1)

10 cm

풀이 : 밑면의 반지름을 ☐ cm라 하면
(옆면의 넓이)=(밑면의 둘레)×(높이)
=☐×2×3.1×10=186
☐×62=186, ☐=3

답 : __3 cm__

✎ 물음에 답하세요.

⑥ 다음은 여러 가지 도형으로 만든 모양입니다. 원기둥, 원뿔, 구는 각각 몇 개일까요?

원기둥 : __3개__   원뿔 : __5개__   구 : __2개__

"

The essence of mathematics
is its freedom.

"

"수학의 본질은 그 자유로움에 있다."

Georg Cantor, 게오르크 칸토어